D0794820

Dotée d'un caractère entier et déterminé, Harper Allen a toujours su ce qu'elle voulait. Mais en secret : adolescente, elle se cachait au fond de la classe pour écrire ses histoires, celles de personnages complexes, qui portent en eux leurs failles et leurs déceptions sentimentales avant de prendre leur revanche sur le destin.

Avant de publier son premier roman, elle était chroniqueur judiciaire ; ainsi a-t-elle puisé une majeure partie de son inspiration dans les tribunaux.

Elle vit aujourd'hui dans une grande maison de campagne, entourée de sa famille.

Secrets coupables

HARPER ALLEN

Secrets coupables

INTRIGUE

éditions Harlequin

Si vous achetez ce livre privé de tout ou partie de sa couverture, nous vous signalons qu'il est en vente irrégulière. Il est considéré comme « invendu » et l'éditeur comme l'auteur n'ont reçu aucun paiement pour ce livre « détérioré ».

Cet ouvrage a été publié en langue anglaise
sous le titre :
McQUEEN'S HEAT

Traduction française de
VALÉRIE MOULS

HARLEQUIN®

est une marque déposée du Groupe Harlequin
et Intrigue® est une marque déposée d'Harlequin S.A.

Photos de couverture
Maison en feu : © ARNULF HUSMO / GETTY IMAGES
Couple : © CAROL KOHEN / GETTY IMAGES

Toute représentation ou reproduction, par quelque procédé que ce soit, constituerait une contrefaçon sanctionnée par les articles 425 et suivants du Code pénal.
© 2003, Sandra Hill. © 2005, Traduction française : Harlequin S.A.
83-85, boulevard Vincent-Auriol, 75013 PARIS — Tél. : 01 42 16 63 63
Service Lectrices — Tél. : 01 45 82 47 47
ISBN 2-280-17059-0 — ISSN 1639-5085

1.

Elle montait les marches quatre à quatre, le souffle court. Mais elle était entraînée : sa résistance pouvait être soumise à des épreuves plus rudes encore. Et elle avait la situation bien en main, puisqu'elle avait fait évacuer en quelques minutes à peine les étages inférieurs. Tamara King atteignit le cinquième niveau de l'hôtel meublé dans lequel venait de se déclarer un début d'incendie. Sans hésiter, elle s'engagea dans le couloir de gauche et frappa à la première porte qui se présentait.

— Il y a quelqu'un ?

Aucune réponse ne lui parvint.

Depuis qu'à l'âge de cinq ans, elle avait échappé de justesse à sa fureur et l'avait vu détruire son univers, le feu était devenu son ennemi personnel. Si bien qu'à vingt-six ans — vingt-sept d'ici quelques semaines, songea Tamara avec un soupir —, elle continuait, armée de sa haine, à affronter et à combattre au quotidien celui qu'elle appelait le monstre.

Membre du corps des sapeurs pompiers de Boston, elle était un soldat du feu.

Elle cogna de nouveau à la porte, sans plus de succès.

Joey Silva lui lança un regard interrogateur, mais déjà, elle enfonçait le panneau de bois d'un coup de pied vigoureux. Elle entra dans le minuscule appartement, se déplaça rapidement d'une pièce à l'autre, puis rejoignit en hâte son partenaire dans le couloir.

La colère crispait les traits de Joey sous son casque.

— Ces Bon Dieu d'hôtels meublés ! Des saletés de nids à incendie, grommela-t-il entre ses dents. Suis-moi. J'ai repéré un autre Bon Dieu de couloir sur la droite.

— Tu devrais songer à étoffer un peu ton vocabulaire, Joey, grinça Tamara tout en jetant un coup d'œil anxieux en direction de la cage d'escalier derrière eux.

— On n'a pas le temps d'attendre l'arrivée de la lance à incendie, affirma Joey, ignorant sa remarque. Il faut finir d'évacuer les paumés et les junkies qui végètent ici.

Tamara lui emboîta le pas, nullement impressionnée par la dureté apparente de son discours — une simple composante de la cuirasse qu'ils devaient se forger, chacun à sa manière, afin de se préserver.

La fumée s'épaississait et elle ne distinguait plus que l'éclat fugitif des bandes jaunes sur la veste de Joey. De sa main gantée de cuir, elle s'empara de l'appareil respiratoire suspendu à son cou.

Hormis quelques rares volutes de fumée, le petit couloir dans lequel ils venaient de pénétrer lui parut étrangement dégagé.

C'est mauvais signe, se dit Tamara, aussitôt en alerte. Il essaie de nous avoir.

— *Cette garce* est tapie quelque part.

Méfiant, le regard de Joey s'était lui aussi étréci. Tamara ébaucha un bref sourire avant de scanner le couloir du regard. Si, pour elle, le feu était un monstre, Joey, quant à lui, l'imaginait sous les traits d'une femme, une femme à la cruauté implacable…

Ses pensées s'interrompirent brutalement : une traînée incandescente courait le long de l'arête supérieure des murs du petit corridor.

— Il est à l'intérieur du plafond, murmura Tamara d'une voix rauque.

— Ça peut s'effondrer d'un instant à l'autre ! renchérit Joey.

Il s'essuya la bouche d'une main nerveuse.

— Viens, Tête Rouge. Plus vite on inspectera ces chambres, plus vite on filera d'ici.

L'usage, en cet instant critique, du surnom mi-rude mi-affectueux que Joey lui avait donné dès sa première matinée à la caserne ne camoufla en rien l'appréhension de son partenaire. Tamara le dévisagea avec une soudaine inquiétude :

— Où est ton masque, Joey ?

Avec un haussement d'épaules, il évita son regard.

— Je crois que je vais devoir « manger la fumée ». Jette un coup d'œil à cette chambre. Je me charge de l'autre.

Il désigna une porte à l'autre extrémité du couloir.

Ce n'était hélas pas la première fois que Joey avait l'imprudence d'intervenir sans son appareil respiratoire — et qu'il « mangeait la fumée », selon l'expression consacrée par les anciens. Avec une force décuplée par l'agacement, Tamara frappa de son poing ganté le panneau de bois vermoulu, qui s'ouvrit aussitôt.

Dès qu'elle aperçut l'individu qui, le dos tourné, se dressait devant la fenêtre de la minuscule chambre, elle devina qu'il serait une source de problèmes.

Elle jaugea sa silhouette du regard. Il devait mesurer plus d'un mètre quatre-vingt-dix et était solidement charpenté. Comme elle pénétrait dans la pièce, l'homme affirma sans se retourner :

— Ne t'inquiète pas pour moi, vieux, je peux me débrouiller seul.

Son ton était neutre, catégorique.

— Va plutôt inspecter la chambre du fond. Elle était inoccupée jusqu'à hier, mais mieux vaut vérifier. Le feu court à l'intérieur du plafond. Il n'y a pas une seconde à perdre.

Ravalant la colère qu'avait éveillée en elle ce comportement cavalier, Tamara examina plus avant le personnage auquel elle avait affaire. En dépit de sa haute stature et de la largeur impressionnante de ses épaules, son aspect ne différait en rien de celui des pauvres hères qu'elle avait croisés aux étages inférieurs du bâtiment. Des cheveux bruns, trop longs, frôlaient le col de son sweat-shirt. Son pantalon de treillis avait sans doute connu des heures plus glorieuses, et le cuir de ses Rangers était tout craquelé.

Sa silhouette paraissait trop imposante pour être celle d'un junkie. La drogue qui l'avait amené jusqu'à cet hôtel miteux devait donc être l'alcool. Mais cet homme semblait s'être enfoncé si profondément dans l'autodestruction qu'il n'était plus en mesure d'évaluer le danger qui le guettait.

— Mon partenaire se charge déjà de l'autre chambre, rétorqua Tamara, son examen achevé.

Un bruit étouffé lui parvint, indiquant un effondrement dans une autre partie du bâtiment.

— Mais en ce qui vous concerne, monsieur, vous êtes sous ma responsabilité. Alors allons-y.

A ces mots, l'homme se tourna vivement vers elle, et elle vit son regard s'agrandir, comme s'il était surpris de découvrir qu'elle était une femme. Il eut un sourire énigmatique et Tamara sentit une minuscule onde de choc la parcourir.

— Je ne doute pas de vos performances physiques, ma belle, puisque vous avez passé les épreuves d'admission. Mais je fais une tête et peut-être trente kilos de plus que vous. Alors je ne vois pas comment vous me traîneriez de force hors de cette pièce. Allez rejoindre votre partenaire, et filez d'ici tant qu'il est encore temps.

Contrastant de manière frappante avec le hâle de son teint, son regard gris pâle semblait la transpercer. Ce bronzage, incongru en ce mois de mai pluvieux, songea Tamara, pouvait se justifier par le fait que les individus de son espèce faisaient au long de l'année toutes sortes de petits boulots, souvent en plein air.

Elle aurait été incapable d'indiquer son âge avec précision. D'après les lignes endurcies de son visage, il semblait avoir au moins la trentaine. Le sourire fugitif qui avait éclairé ses traits, tout à l'heure, lui donnait en tout cas à penser qu'il avait un jour été très différent du personnage qu'elle avait sous les yeux. Elle s'interrogea quant à l'impact de ce sourire sur la gent féminine, avant que l'existence de cet homme n'ait sombré dans la spirale de la destruction.

Quelle importance ? se dit Tamara, repoussant brutalement ces conjectures. Le passé de ce malheureux ne la concernait en rien. Son devoir consistait uniquement à le faire sortir de cette pièce — avec ou sans son consentement.

Mais la tâche s'annonçait difficile : la puissance musculaire de cet homme semblait phénoménale. Redressant fièrement les épaules, Tamara marcha jusqu'à lui et lui empoigna le bras de sa main gantée. Une pointe de colère s'insinua dans sa voix :

— Je suis sapeur pompier, monsieur. Il faut que vous compreniez que je ne *peux pas* vous laisser là.

— C'est pourtant ce que vous allez faire.

Sous sa main, le bras de l'homme était aussi dur que la pierre, presque aussi dur que le ton de sa voix.

— Il est hors de question que vous risquiez votre vie pour moi, mon ange.

— Ce type de risque fait partie de mon métier, *mon ange,* grinça Tamara en resserrant encore l'étreinte de sa main sur le bras de l'inconnu. Et je ne dérogerai pas à cette règle pour vous complaire.

Durant une fraction de seconde, leurs regards se rivèrent l'un à l'autre. Le sien, glacé, déterminé. Celui de l'homme, opaque, indéchiffrable. Soudain, il se raidit et poussa un bref soupir avant d'affirmer d'un ton sec :

— O.K., vous avez gagné. Même si ma conscience en a vu d'autres, je ne veux pas y ajouter votre mort. Allons chercher votre partenaire et filons d'ici.

Leur affrontement n'avait duré que quelques secondes, mais Tamara eut l'impression d'avoir tenu dix rounds contre Cassius Clay, et de s'en être sortie de justesse, pour vice de forme. Avec une conscience aiguë de la présence masculine qui la suivait, elle regagna le couloir.

Dans une ville comme Boston, pensa-t-elle, plusieurs individus de sa sorte arrivaient chaque jour à la même conclusion que cet homme : ils avaient atteint le point de non-retour ; continuer n'était soudain pour eux qu'efforts et souffrances inutiles. Alors pourquoi, pourquoi avait-elle eu l'intime conviction que si elle ne sauvait pas celui-ci, elle ne se le pardonnerait jamais ? Que jamais elle n'oublierait ce regard gris et distant qui, l'espace d'une seconde, avait soutenu le sien ?

« Parce que tu es en service, » décida Tamara. Si ce type décidait de sauter d'un pont la semaine prochaine, c'était son affaire. Mais pas alors qu'elle était responsable de sa sécurité.

— Où est votre partenaire ? demanda-t-il, les sourcils froncés, en refermant précautionneusement la porte de la chambre derrière lui — un deuxième signe suggérant qu'il connaissait le fonctionnement des incendies.

Les yeux lui piquant avec une violence soudaine, Tamara prit conscience que la fumée s'était considérablement épaissie dans le petit corridor. Elle parvint cependant à distinguer la silhouette de Joey à l'autre extrémité du couloir.

— Il arrive, dit-elle.

Elle vit l'homme lever les yeux et se figer. Suivant son regard, Tamara sentit aussitôt la frayeur l'envahir.

— Joey ! Attention !

L'avertissement de l'inconnu vint couvrir son hurlement :

— Bouge de là, vieux ! Le plafond s'effondre !

A travers un nuage de fumée, Tamara vit Joey braquer son attention sur le rougeoiement incandescent au-dessus de sa tête. Elle vit la peur s'emparer de ses traits. Le visage tendu, il ramena brièvement son regard sur eux :

— Il y a…

Il n'eut pas le temps d'achever sa phrase. Depuis un moment, Tamara percevait un grondement sourd et croissant en provenance du grenier. Elle savait que c'était le monstre, qui avalait à toute vitesse la réserve d'air qui y était accumulée, avant de briser ses chaînes à la recherche d'une nouvelle source d'oxygène.

Comme si une porte venait de s'ouvrir sur une antichambre de l'enfer, le plafond fut pulvérisé sous ses yeux et Tamara vit les poutrelles noircies de la vieille charpente se détacher sur le rougeoiement de la fournaise qui l'encerclait. Elle entendit les bottes de Joey marteler le parquet. Elle vit la charpente se faire avaler à son tour par les flammes, et devina que Joey ne parviendrait pas à les rejoindre.

— En arrière !

Le hurlement rauque de l'inconnu fut recouvert par le rugissement des flammes qui se déversaient triomphalement des combles. Tamara sentit un bras puissant se refermer autour de son buste. Elle se sentit soulevée du sol, au moment où, horrifiée, elle voyait le visage angoissé de Joey disparaître derrière un mur de feu.

Elle tâtonna à la recherche de son appareil respiratoire, mais sa main fut brutalement écartée, son poignet, étreint par une main de fer.

— Il est trop tard. Courez !

— Mon partenaire ! protesta-t-elle.

Furieuse, elle se retourna vers l'inconnu, mais l'étau de sa main se resserra autour de son poignet. Déjà, il l'entraînait à sa suite. Elle jeta un coup d'œil anxieux par-dessus son épaule, vit l'air trembler, comme si une force inimaginable avait déchiré l'atmosphère.

Terrorisée, Tamara détourna brusquement le regard et accéléra sa course. L'homme raffermit la prise de sa main autour de son poignet. Puis il prit son élan pour franchir les derniers mètres qui les séparaient du couloir principal. Elle sentit les tendons de son épaule céder et ils s'envolèrent littéralement dans les airs — le poids de son corps et de sa lourde veste de cuir aisément contrebalancé par la puissance des bras resserrés autour d'elle. Un vacarme assourdissant s'éleva derrière eux et Tamara sentit l'intensité du souffle lui arracher son casque. Comme si le sol s'était soulevé à leur rencontre, ils atterrirent alors dans le premier corridor.

A la recherche d'une nouvelle dose d'oxygène, le monstre ouvrait déjà grand ses mâchoires pour avaler l'air amassé dans le petit couloir derrière eux. En échange, il recrachait une chaleur insoutenable, capable de carboniser tout ce qui entrerait en contact avec elle.

Joey est prisonnier de ce chaos, songea Tamara avec un haut-le-cœur — comme elle l'aurait elle-même été, sans la réaction de l'homme qui la tenait toujours serrée contre lui. Un souffle brûlant passa au-dessus de leurs têtes, avant de refluer vers le corridor embrasé. Puis enfin, elle leva les yeux.

Le visage de l'inconnu était si proche du sien que ses épais cils noirs effleuraient sa joue.

— Ça va ?

La gorge serrée, Tamara opina du chef. Elle vit la mâchoire de l'homme se contracter. Se redressant en titubant, il la hissa jusqu'à lui.

— Il faut filer d'ici avant que le reste du toit ne s'effondre.

Il avait raison. La fournaise faisait rage au-dessus de leurs têtes et un mur de flammes avançait sur eux à la vitesse de l'éclair. Mais il y avait Joey.

— Je dois sortir mon partenaire de là.

— A l'heure qu'il est, il est sans doute mort, répliqua l'homme avec brutalité. Il est pompier, il connaissait les risques.

— Si j'étais à sa place, Joey viendrait à mon secours, insista Tamara d'une voix tremblante de colère.

Sur ces mots, elle se rua en direction des flammes. Elle entendit aussitôt le pas de l'homme marteler le sol derrière elle. Une fois de plus, elle sentit sa main empoigner son bras. La fureur se mêlant dans ses veines à la terreur, elle se tourna vivement vers lui. Elle distingua alors du coin de l'œil un mouvement au cœur de la fournaise.

Incrédule, elle fit volte-face. Cette fois, l'homme ne tenta pas de la retenir, mais se précipita avec elle en direction de la silhouette qui, surgissant du mur de flammes, vacillait sur ses jambes, avant de s'effondrer au sol.

— Joey !

Tamara s'agenouilla en hâte auprès de son partenaire. Durant une fraction de seconde, et avant qu'elle ne ferme son esprit au spectacle qu'elle était en train de contempler, elle sentit l'horreur la submerger. Le monstre avait eu Joey, se dit-elle, paniquée. Son visage était atrocement brûlé. Y appliquant aussitôt son propre appareil respiratoire, elle vit Joey ouvrir les yeux et braquer sur elle un regard hébété. Comme il repoussait sa main, elle comprit qu'il essayait de parler.

— Non, Joey, ne dis rien, balbutia-t-elle tout en tentant de remettre d'autorité le masque sur son nez. Les renforts ne vont pas tarder. On va te sortir de là.

Avec une force qu'elle n'avait pas anticipée, Joey s'arracha de nouveau à l'appareil.

— Je t'en prie, Joey…

— Il essaie de nous dire quelque chose, intervint l'inconnu en la faisant taire du regard. Qu'est-ce que c'est, mon vieux ?

Tamara vit les yeux de Joey saillir sous l'effort. Il prit une inspiration tremblante et redressa désespérément la tête en agrippant sa veste de cuir.

— La gamine, haleta-t-il. La mère est morte. Mais… j'ai aperçu une petite fille… trop de fumée pour la retrouver… cassé ma torche.

Joey laissa sa tête retomber lourdement en arrière. Puis son regard affolé demeuré un moment rivé au sien, se brouilla, et il perdit conscience.

Arrachant le masque suspendu à son cou, Tamara le tint appliqué sur le visage de son partenaire. Elle entendit des cris en provenance de l'aile principale, le bruit sec des haches, s'enfonçant dans le bois. Mais si une enfant était vraiment prisonnière derrière ce mur de flammes, elle ne pourrait honorer sa promesse d'attendre l'arrivée des secours au côté de Joey. Elle bondit sur ses pieds et tourna la tête en direction de l'inconnu :

— Restez avec lui, ordonna-t-elle. Je vais…

Tamara cligna des yeux. Il n'était plus là ! Elle se retourna vivement, à temps pour apercevoir une puissante silhouette, serrée dans un sweat-shirt kaki, disparaître au centre de la fournaise.

— King, Dieu merci, vous voilà ! s'exclama une voix impérieuse surgie à son côté. Mais où est… ?

Chandra Boyleston, leur chef de brigade, se retourna pour aboyer un ordre :

— Un homme à terre ! Il y a un homme à terre ici, dépêchez-vous, bon sang !

Puis le lieutenant reporta son attention sur Tamara.

— Silva ne portait pas son masque à oxygène ?

Ignorant la question de sa supérieure, Tamara répondit d'une voix tendue par l'angoisse :

— Il y a au moins un mort là-dedans. Mais Joey a aperçu une petite fille, vivante. Sa lampe a cassé et il n'a pas pu la retrouver. Il est revenu nous prévenir, puis il a… il a…

Tamara jeta un regard en direction du mur de flammes qui continuait de dévorer le couloir derrière elles. Elle ramassa spontanément son casque et l'enfonça sur son crâne.

— Un civil s'est lancé au secours de l'enfant. Il faut que j'aille l'aider.

Sans attendre la réponse de Boyleston, elle avança en direction de la masse tourmentée et rougeoyante, couvrant la partie inférieure de son visage de sa main gantée. Le mur à côté d'elle s'embrasa à son tour. Mais au lieu de s'accroître, Tamara sentit la peur faire place dans son être à un calme presque inquiétant.

— Tu me veux, menaça-t-elle entre ses dents. Tu nous veux tous. Tu nous auras peut-être, l'homme et moi, mais nous ne te laisserons pas prendre une vie qui vient à peine de commencer.

Devant elle, le feu était compact. Avec l'énergie du désespoir, Tamara avala une grande réserve d'air. Elle prenait son élan, quand la stupeur manqua la faire trébucher.

Surgissant de la fournaise, son sweat-shirt enflammé et son visage couvert d'un masque de suie, l'inconnu avançait vers elle d'un pas étonnamment assuré. Il portait un fardeau serré dans un drap. D'après la vapeur qui s'en échappait, elle devina que le tissu, ainsi que son précieux contenu, avaient été plongés dans l'eau quelques secondes auparavant.

Elle courut vers eux, les bras tendus pour réceptionner l'enfant.

Deux yeux gris cernés de rouge rencontrèrent les siens, et elle vit le pli d'un sourire soulever la bouche de l'homme. A cet instant, la pleine puissance de sa virilité la frappa comme un coup de poing à l'estomac.

Comme si un éclair l'avait traversée, Tamara s'immobilisa devant l'inconnu, incapable de détacher son regard du sien.

Sa première impression avait été la bonne, se dit-elle en frémissant. Cet homme avait jadis traversé l'enfer. Un enfer dans lequel il venait, au risque de sa vie, de replonger afin de sauver celle d'une petite fille.

— Elle a eu l'intelligence de se réfugier dans la baignoire remplie d'eau, haleta-t-il en lui remettant l'enfant. Elle tenait ça dans sa main et m'a fait jurer d'en prendre soin. Puis elle a perdu conscience.

S'arrachant à son sweat-shirt, l'inconnu détacha un carré de papier, collé à son torse par la sueur.

— Je parie que vous n'auriez jamais pensé vous serrer si tôt contre mon cœur, ma belle, dit-il d'une voix si rauque qu'elle sembla se briser.

L'homme fit un pas de plus, puis s'effondra lui aussi au sol. Une photographie voleta alors de ses doigts jusqu'au parquet. Une photographie que Tamara reconnut au premier coup d'œil. C'était un cliché la représentant, un peu moins d'une dizaine d'années auparavant !

2.

— Joey va s'en sortir, affirma le lieutenant Boyleston.

Tendant la main vers la boîte de Kleenex posée sur le bureau des urgences, Tamara se détourna pour se moucher avec insistance, avant de se tamponner furtivement les yeux.

— C'est… c'est formidable, lieutenant. Je… j'avais tellement peur qu'il…

Elle dut s'éclaircir la gorge avant de demander :

— Quand serons-nous autorisés à le voir ?

— Pas aujourd'hui. Ni même demain, d'après ce que m'a fait comprendre le médecin.

L'expression de sa supérieure s'adoucit.

— Hé… vous n'avez pas besoin de jouer les dures avec moi, King. Joey et vous êtes plus que de simples collègues l'un pour l'autre, n'est-ce pas ?

— Pardon ?

Tamara releva brusquement la tête.

— Où avez-vous pêché cette idée, lieutenant ?

— Il n'y a que vous et moi ici, fit remarquer Boyleston d'un ton sec, alors je vous en prie, appelez-moi Chandra.

Posant une main sur son épaule, elle l'attira en direction des bacs de plantes qui séparaient l'accueil du hall d'attente.

— Cette photo de *vous* est forcément tombée de son casque.

— De quel casque ? Celui de Joey ?

Tamara dévisagea son chef avec stupeur.

— Vous voulez rire ?

— Vous gardez bien une photo de votre famille à l'intérieur du vôtre, ainsi qu'un trèfle à quatre feuilles. Vous me les avez montrés, une fois.

Chandra n'avait pas du tout l'air de plaisanter.

— Une bonne moitié d'entre nous doit conserver une photo des siens sur lui, répliqua Tamara avec un léger agacement.

— En effet, et la plupart des gars glissent justement celle de leur femme ou de leur petite amie à l'intérieur de leur casque. J'ignore ce qui a poussé cette petite fille à ramasser ce cliché, mais il est forcément tombé du casque de Joey.

Elle fronça les sourcils.

— A moins… qu'il n'existe une connexion entre cette enfant et vous — dont vous ne m'auriez pas informée.

— Je n'ai aucune idée de qui est cette petite fille, affirma Tamara avec un haussement d'épaule impatient.

Un geste qui rappela à son souvenir l'entorse de son épaule droite, diagnostiquée dès son arrivée à l'hôpital, et pour laquelle elle avait refusé toute médication.

— On ignore même qui était sa mère, ajouta-t-elle avec une grimace. Puisque d'après ce que vous m'avez dit, la petite n'a pas prononcé un mot depuis qu'on l'a amenée ici.

— Cela n'a rien d'étonnant, après le choc qu'elle a subi.

L'expression fermée de Boylestone se radoucit.

— Pauvre gosse — voir sa mère mourir sous ses yeux et manquer y passer elle-même. Vous êtes sûre de ne jamais avoir vu cette enfant, King ?

Sentant son regard se troubler, Tamara pinça les lèvres.

— Non, lieutenant. Mais j'avoue que dès que j'ai aperçu son visage, j'ai été frappée par sa ressemblance avec une de mes amies d'enfance. Sauf qu'elle a les yeux verts, tandis que ceux de Claudia Anderson étaient bleus.

— Si sa mère était une de vos camarades d'enfance, cela expliquerait qu'on ait trouvé cette petite en possession d'une photographie vous représentant. Cette femme, apparemment tombée dans la misère, cherchait peut-être à vous retrouver, avec l'espoir que vous lui viendriez en aide.

— Votre histoire ne tient pas debout, lieutenant, protesta aussitôt Tamara.

Elle repoussa une mèche de cheveux roux de son front.

— Claudia a été ma meilleure amie durant toute ma scolarité, et même par la suite. Mais je ne l'ai plus revue depuis des années. Et je crois être la dernière personne vers laquelle elle pourrait avoir eu envie de se tourner.

A contrecœur, Tamara précisa :

— La dernière fois que j'ai eu de ses nouvelles, elle allait épouser *mon* fiancé — qui m'avait abandonnée au pied de l'autel pour s'enfuir avec elle.

Les yeux de Boyleston s'agrandirent et elle déclara d'une voix soudain radoucie :

— Ça a dû être un coup terrible pour vous. Pardon d'avoir remué de vieux souvenirs, Tamara.

Une lueur de compassion s'était installée dans son regard.

— Bon, ça va, lieutenant… je m'en suis remise, OK ? J'ai tourné la page depuis longtemps. Et même si se faire plaquer au beau milieu de l'église devant une centaine d'invités n'a rien de réjouissant, ma vie ne s'est pas arrêtée là. J'ai même tenu à donner la réception…

Chandra eut un rictus stupéfait.

— Non ? Ça, c'est ce qu'on appelle avoir du cran ! Vous avez fêté un mariage qui n'avait pas eu lieu ?

— Oui. J'ai dansé toute la nuit, bu beaucoup trop, et me suis réveillée le lendemain matin, avec ma première et dernière gueule de bois.

Tamara hocha la tête avant de poursuivre :

— La soirée est passée comme dans un brouillard, mais je me souviens que certains des amis de Rick étaient là. Je ne voulais pas qu'il lui soit répété qu'on m'avait raccompagnée de l'église le cœur brisé, ou quelque chose de ce genre.

Un pli amer au coin de la bouche, elle ajouta :

— J'ai attendu le lendemain, et d'être seule, pour craquer.

« C'est faux, King », grinça alors une petite voix dans sa tête. « Tu t'es écroulée le soir même, face à un parfait inconnu, qui plus est. Un homme avec qui tu venais de… »

Tamara fit aussitôt taire la voix insistante.

— Bref, voilà pourquoi je doute qu'en cas de problème, Claudia ait pensé s'adresser à moi, conclut-elle.

— Cela nous ramènerait à Joey, qui serait donc secrètement amoureux de vous.

Un infirmier poussant un brancard vide traversa le hall et Chandra s'interrompit un instant avant de faire remarquer :

— L'identité du civil qui a sauvé cette petite fille demeure elle aussi un mystère. Je n'ai même pas eu le temps d'apercevoir son visage dans la panique. L'équipe d'intervention affirme que s'il n'avait pas perdu conscience à ce moment-là, il aurait filé sans qu'ils aient réussi à le faire monter dans l'ambulance. Il ne vous aurait pas communiqué son nom, par hasard ?

— Non, mais…

Tamara fronça les sourcils. Un fracas métallique en provenance d'une chambre avoisinante venait de résonner dans le silence. Levant lui aussi un regard contrarié, l'infirmier immobilisa son brancard afin d'aller voir ce qui se passait et Tamara acheva sa phrase :

— Pour vivre dans un pareil taudis, ce type devait être au bout du rouleau, affirma-t-elle. J'ai… j'ai eu l'impression que la vie n'avait plus beaucoup de sens à ses yeux.

— La sienne, peut-être.

Le regard de Chandra se fit plus perçant.

— Mais il s'est battu comme un diable pour sauver celle de cette petite fille…

— Vous ne pouvez pas sortir ! protesta soudain une voix sèche depuis la chambre dans laquelle venait de pénétrer l'infirmier. Le Dr Jasper a laissé des instructions strictes vous concernant…

— Vous n'aurez qu'à lui dire que j'ai signé ma décharge. Et comme je préférerais ne pas redescendre l'avenue principale les fesses à l'air, je vous serais reconnaissant de me rendre mon pantalon.

La voix aux accents rauques fut étouffée par un autre fracas, et Tamara entendit l'infirmier riposter avec fermeté :

— Vous n'êtes pas en état, monsieur. On vous a injecté de fortes doses de médicaments. Alors, vous feriez mieux de…

L'exhortation de l'infirmier s'interrompit là, et une haute silhouette — le torse dénudé, et finissant de remonter la fermeture Eclair d'un pantalon de treillis kaki — fit irruption dans le couloir.

Tamara sentit alors Chandra se figer à son côté.

— Ne me dites pas qu'il s'agit de notre héros anonyme ?

— J'allais justement m'enquérir de sa santé, indiqua Tamara, entièrement absorbée par la scène qui se déroulait sous ses yeux. Mais je vois que ce n'est plus nécessaire.

Un aide-soignant vint se placer devant le patient récalcitrant. Surgissant de son bureau, l'infirmière en chef intervint à son tour :

— Laissez-nous au moins prévenir un de vos proches.

Prenant avantage de l'immobilisation momentanée de l'homme, elle marcha jusqu'à lui avec une raideur qui confirmait la désapprobation de son regard.

— Il faut que quelqu'un vienne vous chercher. Nous ne pouvons pas vous laisser partir seul…

— Je n'ai ni famille ni amis, ni même un toit sur la tête, à présent. Alors fichez-moi la paix.

Une profonde impatience résonnait dans la voix rauque.

— Et rappelez vos chiens de garde, s'il vous plaît.

— Tu *as* encore des amis, McQueen, objecta soudain Boyleston d'un ton sec. On se demande pourquoi, avec ton caractère, mais tu en as encore quelques-uns. Du moins était-ce le cas avant que tu ne disparaisses sans nous laisser d'adresse.

Sa voix perdant soudain toute agressivité, elle demanda :

— Comment vas-tu, Stone ?

Tamara les dévisagea tour à tour avec stupeur. Avec un tressaillement intérieur, elle remarqua que le regard gris de l'inconnu était fixé sur elle et non sur Chandra.

Tout prenait sens, comprit-elle — l'héroïsme dont cet homme avait fait preuve, ses connaissances manifestes en matière d'incendies. C'était un ancien pompier. Lui aussi, avait combattu le monstre. Elle rencontra son regard et il cligna des yeux avant de le tourner vers Boyleston.

— Je vois que tu as pris du galon, Chandra, assura-t-il. Tu ne voudrais pas utiliser ton influence pour rappeler à cette dame que, jusqu'à preuve du contraire, nous vivons dans un pays libre ? Tu as trois secondes pour écarter cette seringue, vieux, ajouta-t-il vivement à l'adresse de l'infirmier.

— Et toi tu es toujours aussi charmant, McQueen ! Mais après ce que tu as fait aujourd'hui, je me sens redevable à ton égard. Je prends ce monsieur sous ma responsabilité, soupira Boyleston en portant une main lasse à sa tempe.

Elle glissa un regard en direction de Tamara.

— J'ai cru comprendre que vous n'aviez pas eu le temps de vous présenter l'un à l'autre. Stone McQueen, Tamara King.

Sur ces mots, elle emboîta le pas toujours aussi raide de l'infirmière jusqu'au guichet, où elle commença à signer ce qui parut à Tamara des kilomètres de documents.

— Comment va votre partenaire ? demanda alors McQueen, tout en continuant à s'affairer sur la boucle de sa ceinture.

Décontenancée par la froideur formelle de sa question, Tamara se força à répondre d'une voix égale :

— Il va s'en sortir, je...

La tête toujours courbée sur sa tâche, McQueen l'interrompit :

— A quoi jouait-il ? Il a manqué vous faire tuer. On n'intervient pas sur un incendie sans respirateur.

— Il a commis une bévue, convint Tamara. Une bévue qu'il va payer très cher, d'après les médecins.

Elle prit une profonde inspiration avant d'ajouter :

— Sans vous, je l'aurais sans doute imité. Merci de m'avoir sortie de là à temps.

Stone releva vivement la tête.

— Parce que vous appelez ça une *bévue,* vous ?

Pour finir, il haussa les épaules, ce qui eut pour effet de faire rouler ses muscles puissants sous sa peau tannée :

— Dans ce cas, je dois vous remercier de m'avoir empêché d'en commettre également une, tout à l'heure dans cette chambre. Nous voilà quittes, mon ange.

Les sourcils froncés, McQueen considéra le pansement qui recouvrait plus de la moitié de son avant-bras.

— Bon sang, je hais les hôpitaux, gronda-t-il entre ses dents. Et tout ce qui s'y rapporte.

Les mâchoires serrées, il arracha le pansement d'un coup sec, étouffant un juron.

— Sauf que vous, vous ne *vouliez* pas sortir de cette chambre, protesta Tamara en réponse à sa remarque. Alors que vous *saviez* que l'immeuble allait flamber. Je ne vois donc aucun rapport entre votre comportement et le fait que j'ai failli rester prisonnière des flammes.

— Vraiment ?

Après avoir négligemment jeté le tampon à l'intérieur d'une corbeille, McQueen objecta :

— Sauver votre partenaire n'était qu'un prétexte. Vous vouliez vous confronter à la bête. La regarder dans les yeux.

Il eut un mince sourire.

— Vous espériez apercevoir votre reflet dans le miroir.

D'une voix dont la dureté la surprit, Tamara s'écria :

— Vous pouvez répéter ce que vous venez de dire ? Cela n'a aucun sens.

Approchant avec défi son visage à quelques centimètres de celui du sien, elle se sentit soudain enveloppée par la dangereuse aura qu'elle avait perçue tout à l'heure autour de cet homme.

Elle eut alors envie de tendre la main, de toucher ce torse musclé, de suivre du bout de l'index la toison dont la ligne allait s'amincissant jusqu'à disparaître sous le cuir usé de sa ceinture. L'éclairage des néons révélait les imperfections de son visage — le grain de sa peau tannée par la vie, la minuscule cicatrice au-dessus de sa lèvre inférieure, la large éraflure sur l'arête acérée de sa pommette, qui lui conférait un air menaçant. De toute évidence, il n'avait jamais eu un physique de jeune premier — et n'en avait jamais eu besoin. *Il était la sensualité personnifiée.*

— Je parle du feu, mon ange, dit-il. Vous croyez qu'en le regardant en face, vous y apercevrez votre propre reflet.

Il était si près d'elle que la chaleur de son souffle caressait ses lèvres.

— Vous craignez avoir donné vous-même naissance au *monstre,* et pensez qu'il n'y a qu'un moyen de l'anéantir.

Comment le savait-il ? s'étonna Tamara, accusant le choc. Comment savait-il qu'elle l'appelait le monstre ? Comment avait-il pu deviner ce qu'elle ressentait, chaque fois qu'il faisait rage autour d'elle ?

D'une voix égalant presque l'uniformité de celle de son interlocuteur, elle rétorqua :

— Vous êtes fou. Je hais le feu, McQueen. Pour moi, c'est l'ennemi numéro un. La *chose* contre laquelle je me bats corps et âme. Je ne déclenche pas les incendies, bon sang — je passe ma vie à courir les éteindre.

— Vous ne pourrez jamais *tous* les éteindre.

Elle vit l'amertume soulever un coin de sa bouche.

— Autant le savoir avant qu'il ne soit trop tard, ma belle.

D'un ton glacé, Tamara répliqua :

— Vous semblez parler par expérience. Vous avez été pompier, c'est cela ?

Il ne répondit pas, mais la lueur qui vacilla au fond de son regard l'incita à poursuivre, sur un ton plus agressif.

— Peut-être est-ce vous, qui souffrez d'un conflit irrésolu avec le feu, McQueen. Sauf que vous, vous avez abandonné le combat… à tel point qu'aujourd'hui vous étiez à deux doigts de capituler devant l'ennemi.

Elle approcha un peu plus son visage du sien.

— Vous êtes une véritable bombe humaine. Ce que j'aimerais savoir, c'est *qui* a appuyé sur le détonateur. Etait-ce une femme ? Est-ce cela qui vous a détruit, Stone ?

Elle le vit se figer, et tressaillit en constatant que cette flèche lancée au hasard semblait avoir atteint sa cible.

— Vous vous méprenez sur un point, ma belle.

Il semblait soudain la menacer de son entière et haute stature. Mais sa silhouette, pensa Tamara, n'était pas chez cet homme la caractéristique la plus impressionnante. Ce qui frapperait au premier regard n'importe quel observateur, c'était cette impression de puissance — tout juste contrôlée — qui se dégageait de son être. Associée à l'aura de destruction qu'elle percevait depuis le début autour de lui, celle-ci pouvait s'avérer dangereusement explosive.

— C'est le *métier*, qui m'a détruit, dit-il.

Sa voix de velours l'enveloppa comme un piège invisible.

— Cependant, vous avez raison, une femme a un jour déclenché un feu en moi, qui continue de me consumer nuit et jour… mais je crois que j'ai fini par aimer cela.

Il eut un sourire démoniaque.

— Vous aussi, vous y prendriez peut-être goût. Vous devriez essayer…

A cet instant, le lieutenant Boyleston réapparut à leur côté, un sourire narquois aux lèvres.

— Ta décharge est signée, McQueen. Nous n'avons plus qu'à te trouver un endroit où dormir. Tiens, enfile ça, si tu ne veux pas affoler les jeunes filles.

Tamara remarqua que Chandra, tout en tendant une blouse d'infirmier à McQueen, braquait en fait son regard sur elle.

— Je t'inviterais volontiers chez moi, Stone, mais pour une raison qui m'échappe, Hank ne t'apprécie pas spécialement.

Ses yeux gris eux aussi toujours rivés dans ceux de Tamara, Stone s'empara du vêtement. Une fraction de seconde avant qu'il ne les détourne, elle crut voir la dureté qui habitait son regard faire place à une lueur de regret.

— Tu parles de ton mari ? demanda-t-il en bataillant pour enfiler la blouse. Je ne me souviens pas l'avoir rencontré. Bon sang, Chandra, je ne peux pas mettre ça !

Fixant d'un air furibond les manches qui se terminaient à une dizaine de centimètres de ses poignets, il tenta en vain de joindre les deux pans de la blouse blanche sur son torse.

— Tu l'as rencontré l'an dernier, dans un bar du centre-ville, précisa Chandra avec lassitude. Tu t'étais montré particulièrement odieux ce soir-là. Cette blouse est un emprunt, Stone, alors ne la met pas en pièces, s'il te plaît.

Puis, se tournant vers elle :

— King, pendant que j'étais avec la secrétaire…

— Tu m'excuseras auprès de Hank, marmonna Stone.

Les lèvres de Boyleston se pincèrent avec irritation.

— Pardon ?

Il commençait à hausser les épaules, mais interrompit son geste au moment où une couture lâchait.

— Présente mes excuses à ton mari pour ce que j'ai pu dire ou faire, veux-tu ? Tu fais partie des rares amis qui me restent.

A voix plus basse, il ajouta :

— Je n'aimerais pas perdre ton amitié, Chand.

— Cela a bien manqué t'arriver une ou deux fois, Stone.

Elle soutint son regard sans ciller.

— Mais on se connaît depuis trop longtemps… depuis bien avant que les événements ne tournent mal pour toi. Et j'ai déjà expliqué à Hank que sous tes airs de minable, tu étais un type bien.

Son sourire vacilla sur ses lèvres. Avec un soupir, elle se retourna vers Tamara.

— King, je vous disais que votre oncle Jack avait téléphoné. Il passait à la caserne afin de discuter avec ses anciens collègues, quand un imbécile l'a informé qu'on vous avait transportée à l'hôpital. Je l'ai rassuré à votre sujet, et lui ai dit que je vous accordais quelques jours de repos en attendant que votre épaule se remette.

— Vous voulez me mettre en congé maladie ?

Tamara jeta un regard sidéré à sa supérieure.

— Allons, lieutenant, ce n'est qu'un muscle endolori.

— Tant que vous ne pouvez pas manier une hache ou une lance à incendie, vous êtes en arrêt de travail. Ce n'est pas négociable.

Boyleston fronça les sourcils.

— Appréciez votre chance, King. Joey, pour sa part, ne pourra peut-être jamais reprendre le boulot. Quand les gens comprendront-ils que fumer au lit est aussi dangereux que boire au volant ? C'est un risque qu'on ne prend *pas,* un point c'est tout.

— Où veux-tu en venir en disant cela, Chandra ?

L'index pressé sur le bouton d'appel de l'ascenseur, McQueen s'était brusquement tourné vers Boyleston.

— Au fait que si la femme qui a péri dans cet hôtel avait eu une once de bon sens, Stone, cette petite fille aurait encore sa mère. Elle fumait au lit. La seule raison pour laquelle leur chambre n'a pas flambé la première est qu'un trou aménagé dans le mur a entraîné le feu ailleurs.

Le lieutenant passa une main dans ses cheveux courts avant d'ajouter :

— C'est une première hypothèse, bien sûr, mais je doute que l'enquête officielle parvienne à une autre conclusion. Le feu a couvé dans le sommier jusqu'à ce qu'elle meure asphyxiée, mais entre-temps, il s'est répandu à l'intérieur des murs et du grenier.

— Brillante hypothèse…

D'une main ferme, Stone retint les portes de l'ascenseur qui venaient de s'ouvrir. Tandis que Boyleston pénétrait dans la cabine, Tamara, intriguée par le sarcasme qui avait percé dans la voix de McQueen, s'immobilisa :

— Mais… ?

Il haussa les épaules.

— Mais elle est fausse.

Comme les portes d'acier commençaient à se refermer, il écarta les bras afin de les repousser des deux mains. Cette fois, Tamara entendit toutes les coutures de la blouse lâcher d'un coup. Mais les propos de McQueen firent fuir toute autre pensée de son esprit :

— L'incendie d'aujourd'hui était criminel, affirma-t-il — et celui qui l'a déclenché avait pour cible cette femme et sa petite fille.

3.

— Je suis étonné d'apprendre que cette enfant ait refusé de parler à quiconque à part moi. D'autant que j'étais persuadé que vous connaissiez bien sa mère.

Avec l'impression qu'il ne parvenait pas à gérer la situation, Stone coula un regard en direction de la jeune femme assise à son côté. Tout aurait été plus facile si Chandra les avait accompagnés. Mais le médecin chef du service de pédiatrie de l'hôpital s'était montré ferme à ce sujet : pour l'heure, seuls Tamara King et lui seraient autorisés à voir la petite fille.

Or cela faisait seulement dix minutes qu'ils se trouvaient dans cette salle d'attente du service de pédiatrie de l'hôpital, et déjà, l'atmosphère entre eux était désagréablement tendue.

Figée sur sa chaise, blanche comme un linge, Tamara s'était enfermée dans le mutisme. Des mèches de cheveux auburn échappées de sa natte encadraient son visage d'une auréole de flammèches rebelles. Détachant son regard de la porte à deux battants derrière laquelle il savait que des enfants souffraient, Stone prit une longue inspiration avant de tenter une nouvelle approche :

— Je vous ai dit, n'est-ce pas, que je l'avais trouvée réfugiée au fond de la baignoire. La pauvre enfant savait déjà que sa mère était morte.

« Et lorsque j'ai voulu lui mentir à ce sujet, songea-t-il, j'ai manqué perdre sa confiance ». Il se remémora le mépris qui avait pointé dans la voix grave de la petite fille :

— Si elle dort, alors pourquoi elle ne respire plus ?

Un bras passé autour des frêles épaules de l'enfant, il avait senti un violent tremblement les parcourir tandis qu'il immergeait en hâte un drap dans l'eau de la baignoire.

— De toute façon, avait-elle expliqué, maman était en train de mourir d'un cancer. Alors je suis contente pour elle. Comme ça elle n'a pas eu mal. Elle… elle n'a pas eu mal, hein ?

Cette fois il avait pu répondre en toute franchise :

— Je peux t'affirmer qu'elle ne s'est rendu compte de rien.

Stone fut soudain détourné de ses pensées par l'arrivée silencieuse de l'infirmière. Elle était jeune et très jolie, remarqua-t-il avec une pointe de soulagement, en pensant que les enfants enfermés derrière cette porte méritaient de voir un visage avenant se pencher au-dessus d'eux.

— Elle dort encore, annonça la jeune femme. Le Dr Pranam propose que nous vous téléphonions lorsqu'elle se réveillera.

— Je préfère attendre ici.

Tamara avait prononcé ces mots entre ses dents, en bougeant à peine les lèvres.

— Dites au Dr Pranam que je lui suis reconnaissante de faire cette entorse au règlement. Je sais que les heures de visite sont passées depuis longtemps.

— Nous en faisons assez régulièrement, répliqua l'infirmière avec un sourire jovial. Certains de nos jeunes malades ne rentreront jamais chez eux, alors nous faisons notre possible pour leur apporter un peu de joie. Et ainsi que le Dr Pranam vous l'a expliqué, le seul moyen d'apaiser cette petite fille a été de lui promettre que M. Stone viendrait la voir.

Gêné, Stone détourna le regard.

— Mon nom est McQueen. Stone est mon prénom.

— Comme celui du courageux général Jackson ?

L'infirmière se mit à rire.

— Voilà qui explique la témérité dont on dit que vous avez fait preuve pour sauver cette enfant, ajouta-t-elle avant de s'éclipser derrière la porte à deux battants.

Dès qu'elle eût disparu, sortant de son mutisme, Tamara déclara d'un ton sec :

— J'aimerais que vous me disiez ce que vous savez sur cette petite. Et surtout, que vous m'expliquiez ce qui vous fait croire qu'elle serait la fille de mon amie Claudia Anderson.

— Après que je lui ai demandé de m'appeler Stone, elle m'a dit se prénommer Petra. J'essayais de la faire parler, de détourner son attention du drame qui se déroulait autour d'elle. Elle a eu le temps de m'expliquer que sa mère était en train de mourir d'un cancer, et recherchait une de ses camarades d'enfance.

A ces mots, Stone vit les longs cils de Tamara se refermer un instant sur ses yeux bleus. Puis elle hocha brièvement la tête.

— Continuez.

Il n'avait *pas* envie de continuer, se dit-il brusquement. En fait, il n'avait aucune envie d'être là. Cette histoire éveillait en lui de trop nombreux souvenirs — ceux d'autres nuits blanches, assis à attendre dans des salles d'hôpital. Un besoin irrésistible de se lever l'étreignit. *Et de s'engouffrer dans le premier bar ouvert,* lui souffla une petite voix railleuse.

Se rivant de force à son siège, il affirma :

— J'ai l'impression que Petra savait que sa mère voulait que vous preniez soin d'elle après son décès. Mais elle savait également qu'une fois seule, il lui faudrait vous retrouver par ses propres moyens C'est pourquoi cette photographie était si précieuse à ses yeux.

— Elle n'a pas parlé de son père ?

D'un pouce agacé, Tamara frotta une petite tache de suie sur son jean.

— Elle a forcément un père, bon sang. Où est-il ?

— D'après ce que j'ai cru comprendre, il serait mort avant sa naissance, suite à un accident de voiture.

La tache sur le pantalon de Tamara s'était transformée en une longue traînée noire. Stone ajouta :

— J'étais trop absorbé par le calcul des chances que nous avions de nous en sortir pour enregistrer tout ce qu'elle disait.

Il s'interrompit et plongea son regard dans le sien.

— Vous vous *refusez* à imaginer qu'elle soit la fille de votre amie, n'est-ce pas ?

— Je n'y crois pas, c'est tout.

Se levant brusquement, Tamara s'approcha d'un tableau d'affichage, sur lequel, lui tournant le dos, elle fit mine de concentrer son attention. Plus calmement, Stone se leva à son tour.

— Cela n'a pourtant rien d'incroyable, et c'est bien votre photo qu'elle serrait dans sa main, non ? Comment expliquez-vous cela autrement ?

Tamara haussa les épaules avec raideur.

— Chandra pense qu'elle est tombée du casque de Joey, et cette explication me paraît beaucoup plus logique.

— Logique ? Ne serait-il pas plus *logique* d'accepter l'idée que cette petite fille dise la vérité ?

Réprimant une envie soudaine de l'empoigner par les épaules et de la forcer à entendre raison, Stone se détourna.

Il commençait à s'impliquer beaucoup trop sérieusement dans cette affaire, se dit-il avec fermeté. Il avait passé les sept dernières années de sa vie à limiter au maximum son rapport au monde extérieur, pour se rendre récemment compte que c'était encore trop pour lui.

Mais voilà qu'une petite fille — une petite fille dont l'univers venait d'être mis en pièces — avait insisté pour le voir, se dit sombrement Stone. Il devinait pourquoi elle tenait à le rencontrer.

Tamara ne savait pas tout, car il avait préféré lui dissimuler certains des propos de Petra.

Lorsqu'il avait fait irruption dans la petite chambre, cela faisait des années qu'il ne s'était plus trouvé sur les lieux d'un incendie. Mais le passé l'avait immédiatement rattrapé, et il avait su que des indices se dissimulaient autour de lui. Des indices qui, d'un instant à l'autre, pourraient partir en fumée.

La femme gisait sur un petit lit accolé à un mur. Avant même de s'agenouiller à côté d'elle, il avait compris d'instinct que le partenaire de Tamara avait vu juste. Elle était déjà morte. Une habitude très ancienne l'avait alors poussé à se signer furtivement.

— Repose en paix, avait-il murmuré. Sache que je vais sauver ta petite fille. Je vais la sortir de là.

Au moment où il se redressait, l'information qu'il avait machinalement enregistrée en se penchant sur le corps de la jeune femme avait soudain percuté sa conscience. Il avait alors senti son cœur sombrer dans sa poitrine. Entre ses doigts inertes se trouvait un mégot de cigarette. Il savait que le feu couvait depuis un moment à l'intérieur du matelas. Les vapeurs toxiques qui émanaient du matériau révolu dont il était fait avaient été fatales à son occupante. Mais pourquoi, au lieu de se répandre aussitôt dans cette chambre, l'incendie s'était-il échappé vers les autres parties du bâtiment ?

C'est en se redressant, étreint par le souci de retrouver l'enfant, qu'il avait aperçu la réponse à ses interrogations : un lambeau de drap calciné menait de la cigarette consumée à un trou aménagé dans le mur de brique.

En soulevant Petra dans ses bras quelques instants plus tard, il s'était trouvé confronté à un autre mystère, plus inquiétant encore :

— Tu vas découvrir qui a tué ma maman, hein, Stone ?

Agrandis par l'horreur, les yeux de la petite fille s'étaient rivés sur lui dans la pénombre.

— Tu vas le mettre en prison, dis ?

Il n'avait pas répondu tout de suite. Que pouvait-il dire ? C'est ta maman qui a mis le feu, mon ange. Elle fumait dans son lit, tu vois, et la cigarette a roulé de ses doigts quand elle s'est endormie. Sauf que la cigarette n'avait pas roulé d'entre les doigts de la jeune femme. Elle y avait brûlé jusqu'au bout, sans que la douleur la réveille. Pourquoi ?

Parce qu'elle était déjà morte. Et qu'il y avait de fortes chances pour que cette fichue cigarette ait été allumée *après* son décès, lui avait soufflé une voix froidement professionnelle. La sienne, lorsqu'il avait enfin répondu à l'enfant qui le dévisageait avec une confiance bouleversante, était éraillée par la colère. Mais la petite avait semblé comprendre que sa rage n'était pas dirigée contre elle.

— Oui, avait-il promis, nous découvrirons qui a tué ta maman.

Tout en se hâtant vers la porte, il avait resserré l'étreinte de ses bras autour d'elle avant d'ajouter :

— Et nous le mettrons en prison.

A ce moment-là, il avait senti la tension du petit corps blotti contre le sien se relâcher, comme si par ce serment, il avait déchargé cette petite fille d'un fardeau bien trop lourd pour elle…

Il avait d'abord honoré la promesse qu'il s'était faite de l'arracher saine et sauve à la fournaise. Puis il avait expliqué à Boyleston ce qu'il avait eu le temps de voir, avant que les flammes ne s'emparent de la chambre. Des indices parlants, révélant qu'il s'agissait non pas d'un accident, mais d'un incendie criminel. En faisant passer cette information, il laissait à ceux payés pour le faire le soin de remettre en cause les conclusions hâtives de l'équipe d'intervention.

Il pouvait donc partir sans se retourner, avait-il pensé. D'ailleurs, n'était-il pas devenu expert à se détourner de tout, ces dernières années ?

Sauf que cette fois, une enfant en détresse avait fait appel à lui, et que de son côté, il lui avait fait un serment. Qu'il le veuille ou non, comprenait-il soudain, il était à présent personnellement impliqué dans cette affaire. Comme l'était Tamara King.

— Elle a dit se prénommer Petra ?

Le murmure de Tamara était presque inaudible.

— Vous en êtes sûr ?

— Certain. Pourquoi ? demanda Stone d'un ton égal, tout en remarquant la rigidité de ses traits, le chagrin qui avait soudain fait irruption dans les yeux bleus de Tamara.

— Mon amie Claudia n'a jamais connu son père, qui est mort peu après sa naissance. Elle disait toujours que si c'était un garçon, elle appellerait son premier enfant Peter, comme lui. Et Petra, si c'était une fille.

— Cela vient confirmer…, commença Stone.

Mais Tamara l'interrompit brusquement :

— Je vais vous raconter une histoire, McQueen. C'est celle de deux orphelines qui, quand elles se sont rencontrées, ont eu l'impression de retrouver une famille.

Elle eut un sourire amer.

— A l'âge de dix ans, elles ont dérobé une aiguille à couture et ont réuni suffisamment de courage pour piquer la paume de leur main avec cette aiguille. Elles avaient lu quelque part qu'on devenait ainsi sœurs de sang.

Tamara haussa les épaules.

— Elles collèrent leur paume l'une à l'autre et se promirent fidélité jusqu'à la mort. C'est idiot, n'est-ce pas ?

La personne qu'il avait devant lui, songea Stone en observant Tamara, ne ressemblait en rien à la silhouette casquée et bardée de cuir qui l'avait tout à l'heure contraint à sortir de cette chambre d'hôtel. Qui était la véritable Tamara King ? se demanda-t-il. La jeune femme intrépide qui risquait chaque jour sa vie pour lutter contre les incendies, ou celle qui, le corps tendu par l'anxiété, le regard hanté par un mystérieux passé, lui donnait l'impression qu'elle était sur le point de craquer ?

Peut-être était-elle ces deux femmes à la fois, conclut-il en son for intérieur.

— Quand nous avons atteint l'âge adulte, poursuivit-elle d'une voix blanche, j'étais persuadée que quoi qu'il arrive, nous pourrions toujours compter l'une sur l'autre. J'avais tort. Claudia m'a trahie en épousant à ma place l'homme que j'aimais. Je ne les ai jamais revus, ni l'un ni l'autre. Et je n'ai jamais plus entendu parler d'eux.

Sa voix n'était plus qu'un filet hésitant.

— Alors franchement, McQueen, même si elle était sur le point de mourir et s'inquiétait pour l'avenir de son enfant, trouvez-vous plausible que Claudia Anderson ait pu chercher à me retrouver ?

Elle secoua la tête avec fermeté.

— Ne comprenez-vous pas que c'est impossible ? Cette femme *ne peut* être Claudia.

Tamara braquait sur lui des yeux d'un bleu brillant. Se sentant soudain gauche, maladroit, Stone fit un pas vers elle.

— J'aimerais pouvoir l'affirmer...

Il posa une main hésitante sur son épaule. Mais elle l'écarta avec violence.

— Ce n'est pas elle ! asséna-t-elle d'une voix sourde. Quoi qui ait pu se passer entre Claudia et moi, je ne supporterais pas l'idée qu'elle ait pu finir malade, apeurée, dans cette chambre d'hôtel minable. Avec pour seul espoir l'idée que je lui pardonnerais.

— Elle est morte asphyxiée dans son sommeil ; elle n'a pas souffert. Et elle est partie en pensant que le lien qui vous avait unies n'était pas brisé, même s'il ne tenait plus qu'à un fil. Ce en quoi elle avait raison.

Cette fois, quand ses mains se posèrent sur ses épaules, Tamara ne les écarta pas. Son regard brillant une seconde plus tôt s'embua, mais Stone devinait qu'elle ne s'autoriserait pas à pleurer.

— Je crois que dès que j'ai vu sa petite fille, j'ai deviné qu'il s'agissait d'elle. Mais je me refusais à le croire.

Sa voix se brisa.

— Vous voulez savoir pourquoi, McQueen ?

« Je crois déjà le savoir, » se dit Stone avec une amertume désabusée. Un peu plus tôt, il l'avait accusée de vouloir regarder le monstre en face à la recherche de son propre reflet. Mais il comprenait à présent que Tamara King avait déjà sondé l'abîme qui se trouvait au centre de son être. Et que cette révélation lui déchirait le cœur.

— Pourquoi ? demanda-t-il d'une voix atone.

— Parce que je ne lui ai pas pardonné, balbutia Tamara en posant sur lui un regard envahi par la culpabilité. Et que si elle m'avait appelée, j'aurais certainement refusé de la rencontrer. Vous voyez… je suis un monstre, non ?

— Vous n'êtes pas un monstre.

Il resserra l'étreinte de ses mains autour de ses épaules.

— Vous êtes un être humain. Et vous n'auriez pas refusé de la voir… pas en sachant que vous étiez son dernier espoir.

Tamara haussa les épaules.

— Je ne pourrai jamais en être sûre.

Son regard soutint le sien un moment encore. Puis, redressant les épaules, elle se libéra brutalement de son étreinte.

« Et voilà », se dit Stone, déconcerté. C'était comme si elle avait appliqué ses deux paumes contre son torse et l'avait repoussé de toutes ses forces. Il revécut le choc qu'il avait éprouvé en l'apercevant tout à l'heure dans cette chambre d'hôtel. « Ravale tes sentiments et enterre-les afin que personne ne les remarque jamais plus », ajouta-t-il en son for intérieur. Déjà, elle semblait regretter de s'être livrée à lui. Déjà, elle lui en voulait de ne pas l'en avoir empêchée.

— Pardonnez-moi. Rien ne m'autorisait à vider ainsi mon sac devant vous, s'excusa Tamara d'une voix neutre. Nous ferions mieux de décider des réponses que nous apporterons à Petra concernant le décès de sa mère. Je me place du côté du lieutenant Boyleston à ce propos, McQueen. J'ignore comment vous êtes arrivé à la conclusion qu'il s'agissait d'un incendie volontaire, mais je ne *veux* pas que Petra commence à s'en persuader. Je pense qu'il vaut mieux lui laisser croire à un accident — aussi tragique soit-il — et garder nos théories personnelles pour nous.

— La vôtre étant ?

C'était drôle, pensa Stone. Bien sûr, il s'était senti décontenancé lorsqu'il avait surpris cette lueur de doute dans le regard de Chandra, alors qu'elle lui promettait de transmettre ses conclusions aux spécialistes chargés de l'enquête. Mais ce rejet systématique de la part de Tamara déclenchait en lui une colère inexplicable.

— Qu'elle est morte parce qu'elle fumait au lit ? insista-t-il.

— Cela arrive, hélas.

Tamara leva vers lui un regard résigné.

— Claudia fumait de manière occasionnelle, lorsqu'elle était stressée. Or d'après ce qu'il était apparemment advenu de sa vie, elle devait l'être.

— Si vous le dites, marmonna Stone. Dans ce cas, c'est encore plus inquiétant. Cela signifierait que l'incendiaire l'a surveillée d'assez près pour connaître ses habitudes.

Tamara fronça les sourcils avec sévérité.

— Ecoutez, McQueen. Ce que nous pensons n'a aucune importance. Comme vous l'avez vous-même été, je ne suis qu'un simple pompier. Aucun de nous n'étant donc qualifié pour imposer notre opinion sur cette affaire, je suggère que nous laissions cela aux experts.

Son regard s'assombrit.

— De toute façon, ajouta-t-elle, quelle que soit leur décision, cela ne ramènera pas Claudia.

— Non, cela ne la ramènera pas, convint Stone, laconique. Mais vous semblez toutefois ignorer qui je suis. Plutôt, qui j'étais, rectifia-t-il en abaissant son regard vers elle.

Devant l'expression franchement interrogative de Tamara, il conclut, dans un haussement d'épaules :

— C'est bien ce que je pensais. C'était avant votre temps, bien sûr. J'ai effectivement commencé ma carrière en qualité de pompier, ma belle, mais ce n'est pas ainsi que je l'ai terminée. Et c'est pourquoi je suis prêt à soutenir ce que j'avance devant une dizaine d'experts confirmés.

— Vous étiez quoi, alors ? Un de ces spécialistes du feu qui déterminent les causes des incendies, peut-être ?

Un tel doute perçait dans sa voix que Stone tressaillit intérieurement.

D'accord, il ne pouvait lui en vouloir de le juger sur sa mine. Il devait en effet ressembler au premier abord à ce qu'il était devenu — un homme retranché du monde, et que le monde avait oublié. En pénétrant dans cette chambre miteuse, se dit-il avec amertume, elle avait dû le trouver plutôt assorti au décor.

Cette idée était dure à digérer. Mais il devait reconnaître qu'il s'était laissé sombrer des années durant dans la déchéance. Et qu'il était difficile, en le regardant aujourd'hui, de lui imaginer un passé plus glorieux. Il était même surpris de découvrir qu'il lui restait assez de fierté pour s'en offenser.

— Je n'étais pas seulement un de ces spécialistes, objecta-t-il en franchissant l'espace qui les séparait. J'étais quasiment une légende vivante. Le meilleur de tous. Et j'affirme que vous vous trompez — l'incendie qui a tué votre amie n'est *pas* dû au fait qu'elle fumait au lit.

Stone entendit trop tard les battants de la porte s'ouvrir derrière lui. Voyant la tension qui crispait les traits de Tamara faire place à une soudaine inquiétude, il se retourna. Son cœur sombra alors dans sa poitrine en découvrant la petite silhouette qui, vêtue d'une blouse d'hôpital, se dressait avec raideur devant eux.

— Vous voulez faire croire que l'incendie était la faute de maman, c'est ça ?

Les yeux verts et accusateurs de Petra étaient braqués avec froideur sur Tamara.

— Eh bien moi, je ne crois *pas* que vous étiez son amie.

La voix fluette se brisa :

— Je crois plutôt que vous la détestiez !

4.

— Chandra avait raison, grommela Tamara entre ses dents tout en se glissant dans le pantalon de jogging propre qu'elle avait sorti de l'armoire.

Stone McQueen était une véritable plaie.

« A cause de lui, Petra me prend pour la méchante sorcière. En revanche, lui, elle le regarde comme s'il était Dieu en personne ! »

Entendant l'eau couler dans la salle de bains, elle ajouta, la voix tremblante de colère :

— J'ai dû perdre la tête, pour proposer à ce type de l'héberger !

Faisant brusquement volte-face en l'apercevant, le chat, qui venait d'apparaître à la porte de la chambre, ressortit, d'un pas insolemment gracieux pour un animal à trois pattes. Après avoir attaché ses cheveux encore humides à l'aide d'un élastique, Tamara suivit l'animal jusqu'à la cuisine.

— Tu n'auras pas droit à la chambre d'amis cette nuit, sac à puces. Mais tu vas avoir l'occasion de snober un autre être humain que moi, pour changer.

Sauf qu'au train où allaient les choses, ce satané félin allait sans doute lécher les bottes de McQueen, supposa Tamara en déposant deux sachets au fond de la théière qu'avait tant affectionnée tante Kate. Elle se demanda fugitivement si McQueen en voudrait. Qu'importe, décida-t-il, s'il n'aimait pas le thé, tant pis pour lui !

« Je pense que vous la détestiez ! »

Au souvenir des accusations de Petra, Tamara se laissa tomber sur une chaise et ferma les yeux. Elle ne se rappelait plus ce qu'elle avait répliqué, mais sa réponse n'avait en rien adouci le regard que la petite fille braquait sur elle. Il avait fallu que Stone la prenne dans ses bras, pour que la tension qui crispait ses traits se relâche un tant soit peu.

— Qu'est-ce que c'est que ces sornettes, petite tigresse ? l'avait-il sermonnée. Tu ne dois pas dire des choses pareilles.

Mais la sévérité de son ton n'avait pas semblé ébranler l'enfant. Fronçant les sourcils en retour, elle s'était écriée, tout en glissant ses bras autour du cou de Stone :

— C'est pas des sornettes ! Elle essaye de dire que le feu est la faute de maman.

Puis, s'adressant à elle :

— Pourtant, vous savez *très bien* qu'elle avait arrêté de fumer. Elle vous l'avait écrit dans ses lettres.

Lorsque McQueen l'avait ensuite ramenée jusqu'à son lit, Petra ne s'était même pas retournée pour lui dire au revoir. Tandis que son babillage, mêlé aux accents rauques de la voix de Stone, était étouffé derrière la porte à deux battants, Tamara s'était demandée comment elle allait combler le fossé si vite creusé entre elle et cette enfant. Une question à laquelle elle n'avait toujours pas trouvé de réponse.

— *Jamais* tu ne m'as écrit, Claudia, marmonna-t-elle tout en se versant une tasse de thé.

Au bout du compte, c'était ce qui lui avait fait le plus de mal : le fait qu'ils l'aient tous deux définitivement rayée de leur existence.

Mais si Rick était vraiment mort dans un accident de voiture avant la naissance de sa fille, ce reproche ne s'adressait plus qu'à Claudia.

Avant la naissance de sa fille... Sur le point de porter la tasse à ses lèvres, Tamara interrompit son geste. Petra, se dit-elle soudain, devait avoir à peu près sept ans !

Elle effectua un rapide calcul mental.

Claudia aurait donc été déjà enceinte avant...

Avant le mariage qui aurait dû avoir lieu *un peu plus de sept ans auparavant* — si Rick ne s'était enfui avec elle. Une image resurgissant de sa mémoire, Tamara reposa sa tasse d'une main tremblante. C'était celle de Claudia, dans un sweat-shirt anormalement ample, jetant rageusement au sol sa robe de demoiselle d'honneur, avant de s'écrier :

— J'ai déjà essayé cette robe le mois dernier dans la boutique. Elle m'allait très bien, non ? Alors on pourrait peut-être s'intéresser à autre chose qu'à ce fichu mariage ?

Cette animosité — des plus inhabituelles chez Claudia — s'était ensuite muée en une véritable explosion de colère, se souvint Tamara. Mais elle avait alors attribué sa réaction à l'inquiétude de son amie concernant la santé de sa mère.

Cette dernière suivant à l'époque une chimiothérapie, sa fille s'était sans doute retenue de lui confier son secret. Un secret que contrairement à tous les autres, elle n'avait pas non plus pu partager avec son amie de toujours.

Serrant les lèvres avec amertume, Tamara enroula ses doigts autour de sa tasse brûlante. « J'aurais préféré que tu m'avoues tout, Claudia », songea-t-elle en son for intérieur.

Leur histoire aurait peut-être alors tourné différemment.

En réalité, et même si à l'époque, elle avait refusé de l'admettre, elle s'était très vite remise d'avoir perdu l'homme qu'elle avait cru tant aimer. Après avoir postulé — plus dans le but de se changer les idées que par réelle vocation — auprès du Corps des Sapeurs

Pompiers de Boston, elle avait été retenue pour participer à un premier examen écrit, qu'à sa grande surprise, elle avait réussi. Avec l'aide d'oncle Jack, elle avait ensuite préparé et passé avec succès les tests médicaux et les épreuves physiques à Quincy. Elle avait alors attaqué une formation intensive de trois mois, qui se déroulait à Moon Island, face au vieux port de Boston.

Une expérience éreintante. Mais qui lui avait permis de se sentir plus vivante, plus fière d'elle que jamais.

Quelques semaines plus tard, devait-elle admettre, elle n'arrivait déjà plus à se rappeler la couleur des yeux de Rick.

La blessure causée en elle par la perte de Claudia ne s'était en revanche jamais refermée. McQueen avait vu juste en affirmant que le lien qui les unissait — même s'il s'était bien sûr distendu — ne s'était jamais brisé.

La gorge douloureusement nouée, Tamara porta une fois de plus sa tasse à ses lèvres.

Petra lui faisait tellement penser à Claudia.

— J'ignore si je suis qualifiée pour assumer ton rôle auprès de cette enfant, murmura-t-elle. Mais je jure de faire tout mon possible.

Sauf qu'à cause de McQueen, Petra et elle avaient démarré d'un très mauvais pied, se rappela Tamara en reposant sa tasse dans un claquement sec.

Elle se remémora sa conversation avec Chandra, lorsque celle-ci les avait ramenés de l'hôpital, elle et Stone. Suite aux exigences de ce dernier, ils avaient dû faire un grand détour jusqu'à un surplus de l'armée. Sans un mot d'explication, McQueen était sorti du véhicule pour s'engouffrer dans le magasin dont la vaste vitrine offrait un déploiement de masques à gaz, de couteaux et de dagues. Dans un haussement d'épaules, Chandra avait fait remarquer :

— Avec McQueen, il vaut mieux s'abstenir de poser des questions.

Elle avait ajouté, avec un sourire en biais :

— Si vous regrettez votre proposition de l'héberger, il pourra tout de même passer la nuit à la maison. Hank sait très bien que j'ai toujours eu un faible pour lui.

— Le regretter, dites-vous ? avait rétorqué Tamara. Je m'en mords déjà amèrement les doigts, oui. Mais plus tôt je mettrai les choses au clair avec lui, mieux ce sera, lieutenant. Etant donné qu'il est la seule personne à laquelle elle accepte de s'ouvrir, le Dr Pranam semble très favorable à ce que McQueen continue de rendre visite à Petra. Mais je veux qu'il comprenne qu'il ne faut pas encourager cette enfant dans une quelconque croyance à un incendie volontaire.

Elle avait glissé un regard interrogateur à sa supérieure.

— Vous pensez également qu'il aurait tort de le faire, n'est-ce pas ?

Chandra avait poussé un soupir.

— Quand il dit qu'il était une légende vivante, c'est vrai, Tamara. Pour n'en citer qu'une, il y a huit ans de cela, il a remis en cause les conclusions des experts attachés à l'affaire de l'incendie du Dazzlers — un night-club réputé du centre-ville. Soutenant que ce sinistre était le fait d'un acte criminel, il s'était donné pour mission personnelle de traquer le responsable de la vingtaine de victimes retrouvées calcinées sur les lieux. Et il a gagné. Depuis, Jimmy Malone, l'incendiaire démasqué grâce à lui, est toujours derrière des barreaux.

Sur ces mots, le lieutenant Boyleston avait fermé les yeux d'un air las. Lorsqu'elle les avait rouverts, son regard était triste.

— Mais chaque fois que j'ai croisé Stone ces dernières années, il était ivre mort. C'est sa dernière enquête qui l'a détruit.

Elle avait pris une longue inspiration avant de convenir :

— J'admets qu'aujourd'hui, il avait l'air sobre, et je dois avouer qu'il s'est surpassé. Mais ne me demandez pas si ses allégations concernant les causes de l'incendie de ce soir sont fiables, parce que je répondrai : non.

Un sac en papier sous le bras, McQueen les avait rejointes avant qu'elle n'ait le temps d'interroger plus avant Boyleston sur la dernière affaire qui d'après elle, l'aurait détruit.

C'était sans doute mieux ainsi, se dit à présent Tamara en se levant brusquement de la table. Car si Chandra avait « un faible » pour Stone McQueen, ce n'était certainement pas son cas. Son seul intérêt pour lui se limitait à l'influence qu'il pourrait exercer sur Petra… malgré ce qu'elle avait pu croire ressentir au premier regard.

« Bon sang, King », s'insurgea-t-elle, « ne dis pas que tu t'es sentie attirée, ne serait-ce qu'une seconde, par cette misérable cloche ? Si c'était le cas, tu aurais sérieusement besoin de te faire soigner. »

— Comment ce chat a-t-il perdu sa quatrième patte ?

La voix rauque, en provenance du vestibule, la fit sursauter. Se retournant d'un bond, Tamara remercia le ciel de pouvoir s'appuyer au solide plan de travail derrière elle.

McQueen se dressait dans l'encadrement de la porte, serré dans un T-shirt neuf. Tendu au niveau des manches par ses biceps tannés par le soleil, le tissu kaki soulignait un peu plus bas la largeur de son torse, puis les lignes puissantes de ses abdominaux, avant de s'enfoncer dans un pantalon de treillis surmonté d'une large ceinture de cuir. Mais ce n'était pas tout…

La barbe de plusieurs jours qui ombrait tout à l'heure sa mâchoire avait disparu. Tiens, tiens, il s'était donc acheté un rasoir… Ses cheveux bruns encore humides frôlaient toujours le col de son T-shirt, et une mèche rebelle sur le point de retomber sur ses yeux ajoutait à son aspect une note de désinvolture terriblement sensuelle.

Ainsi astiqué, Stone McQueen n'était pas dépourvu de charme, dut reconnaître Tamara, envahie par une faiblesse irritante.

La seule note incongrue dans ce tableau était le matou à trois pattes enroulé lascivement autour de son cou.

D'une voix rauque, elle expliqua :

— Je l'ai sauvé d'un incendie alors qu'il n'était encore qu'un chaton. Mais une de ses pattes avait été trop gravement brûlée pour que le vétérinaire puisse la sauver.

Elle s'éclaircit la gorge avant d'ajouter :

— Il me déteste. Vous voulez du thé ?

— J'ignore pourquoi, mais il se trouve que les chats et les enfants m'adorent.

Un pli suffisant au coin des lèvres, Stone détacha de son cou un Pangor ronronnant qu'il déposa sur le carrelage.

— Et je ne bois pas de thé : l'eau chaude, non merci. Vous n'auriez pas du café ?

Avec une précaution calculée et la mâchoire serrée par l'agacement, Tamara reposa la théière sur le comptoir.

Bon, une fois étrillé, Stone McQueen avait peut-être fière allure, convint-elle. Mais cela ne l'empêchait pas d'être aussi agréable qu'un fauve en cage. Elle se tourna vers lui.

— Si, j'ai même une cafetière électrique.

Puis, lui décochant un mince sourire :

— Pourquoi ce don relatif aux chats et aux enfants se dément-il systématiquement auprès des femmes, à votre avis ?

— Vous ne ferez jamais un bon café avec une de ces machines, répliqua Stone, ignorant sa remarque.

Il ouvrit la porte du réfrigérateur.

— Vous avez des œufs ? Il faut faire frémir le café dans une casserole, puis y jeter une ou deux coquilles d'œufs à la dernière minute, afin de lui donner du lustre.

Après avoir refermé la porte métallique, McQueen se tourna vers elle. En comparaison avec la largeur de sa paume, les deux œufs qui y reposaient donnaient l'impression d'avoir été pondus par un colibri.

— Mais pour en revenir à votre précédente question, mon charme opère très bien auprès de certaines femmes. Vous avez l'air claquée, ma belle, ajouta-t-il en la dévisageant. Pendant que j'y suis, je vais nous cuisiner une bonne omelette.

Tamara le considéra un moment avec stupeur avant de hausser les épaules.

— Si cela vous fait plaisir… mais avant de prendre ma cuisine d'assaut, laissez-moi juste récupérer mon *eau chaude*.

Après s'être emparée de sa tasse de thé, elle alla s'asseoir à table.

— Lorsque Chandra nous a présentés, grinça-t-elle, il me semble me souvenir qu'elle vous a indiqué que mon prénom était Tamara et non « ma belle », ou « mon ange ».

Stone fouillait l'intérieur du tiroir placé sous la cuisinière. Une poêle à la main et les sourcils froncés, il se redressa.

— Cela vous dérange que je vous appelle « ma belle » ?

Il y avait une franche note de surprise dans sa voix.

— Oui, cela me dérange. Tout d'abord, cela résonne à mes oreilles comme une expression sexiste. Ensuite, j'en retire l'impression que vous refusez de faire l'effort de mémoriser mon prénom. Vous aimeriez, vous, que je vous appelle bébé, ou, mon chou, lorsque je m'adresse à vous ?

Stone déposa la poêle sur le feu avant de hocher pensivement la tête.

— Je vois ce que vous voulez dire.

Il se tourna vers le réfrigérateur.

— Mais vous pouvez m'appeler bébé. Ça vous donnera l'air d'une dure à cuire. J'aime bien quand vous avez l'air dur.

Tamara reposa sa tasse sur la table avant de prendre une longue et furieuse inspiration. Elle allait riposter, quand Stone lui glissa un regard candide par-dessus son épaule.

Déconcertée, elle vit un sourire apparaître sur ses lèvres avant qu'il ne se retourne vers le réfrigérateur dont il sortit deux nouveaux œufs, un paquet de cheddar, un bouquet d'échalotes et un bocal de sauce pimentée oubliés au fond d'un bac depuis des semaines, avant d'en refermer la porte du bout du pied. Elle le foudroya du regard :

— Vous plaisantiez, j'espère, assura-t-elle.

Stone déposa tranquillement la nourriture sur le comptoir et rattrapa de justesse un œuf qui roulait en direction du sol avant de se tourner de nouveau vers elle.

Tamara vit alors une lueur de doute traverser ses traits.

— Bien sûr que je plaisantais. Vous avez eu une rude journée, et pour tout arranger, voilà qu'on vous impose chez vous un intrus qui prend d'assaut votre cuisine. Alors, j'ai pensé que vous faire rire serait un acte charitable… ma belle, ajouta-t-il dans sa barbe.

Elle le dévisagea un moment avec incrédulité. Puis, elle ne put s'empêcher de sourire, et la tension qui s'était accumulée en elle tout au long de cette soirée se dissipa soudain en un bref éclat de rire, et elle secoua la tête.

— Vous ne trouvez pas que vous poussez le bouchon un peu trop loin, McQueen ? Si vous ne voulez pas vous retrouver à la porte, vous avez intérêt à cuisiner la meilleure omelette que j'aie jamais goûtée… bébé.

Voilà qu'elle galéjait avec cet inconnu, s'étonna Tamara en l'observant casser adroitement quatre œufs dans un bol, avant de mettre deux coquilles de côté. Elle n'était toutefois pas assez stupide pour imaginer que cette trêve s'éterniserait, surtout qu'elle devait encore lui parler de Petra. Mais il était vrai que sa journée avait été éprouvante. Or son métier lui avait appris — si elle entendait conserver sa santé d'esprit — à saisir les instants de légèreté qui se présentaient à elle.

Stone McQueen restait un minable. Mais après tout, peut-être n'était-il pas un *complet* minable.

— Comptez sur moi, assura-t-il. Ce sera la meilleure omelette et le meilleur café que vous ayez jamais goûtés.

Il avait déjà commencé à râper le morceau de cheddar.

— Je dois avouer, poursuivit-il, que ma socialisation a été assez limitée ces dernières années. Les seules femmes que j'ai côtoyées étaient des barmaids, peu enclines à communiquer leur prénom aux paumés qu'elles ont pour vocation de servir. L'usage d'expressions comme mon ange, ou ma belle, est donc devenu une seconde nature chez moi.

Il haussa les épaules.

— Elles-mêmes m'appelaient « le baraqué », et les videurs, « mon pote », vers la fin de la soirée. Au sein de ce vaste cercle d'amis, voyez-vous, nous n'avions pas pour habitude d'échanger nos prénoms.

Tamara comprit qu'elle venait de recevoir des excuses — ou tout du moins, une explication. Quoi qu'il en soit, elle eut l'impression que le seul fait de lui dévoiler cet infime aperçu de son existence, en avait coûté à cet homme taciturne.

— Je me suis interrogée quand je vous ai découvert dans cette chambre d'hôtel, dit-elle d'une voix posée. Vous souffrez d'un problème d'alcool, n'est-ce pas, McQueen ?

Stone était en train d'émincer les échalotes. Elle vit l'étreinte de ses doigts se resserrer autour du couteau d'office.

— Plus maintenant, répondit-il, laconique.

Puis, déposant brusquement l'ustensile sur la planche de bois, il se tourna vers elle et précisa :

— Plus pour l'instant, serait une réponse plus exacte.

L'huile commençait à grésiller dans la poêle. Sans la quitter des yeux, il l'écarta du feu avant d'ajouter :

— L'alcool était en effet devenu un problème pour moi. Je l'utilisais comme une béquille, jusqu'au jour où j'ai pris conscience que sans elle, je ne pouvais plus fonctionner, et que très vite, je risquais de ne plus fonctionner du tout. Ce soir-là, en passant devant mon abreuvoir habituel, j'ai continué ma route jusqu'au sous-sol de l'église Ste Mary, où se tiennent les réunions des Alcooliques

Anonymes. Depuis, je n'ai plus bu une goutte d'alcool. Mais affirmer que j'ai réglé ce problème une fois pour toutes serait une grave erreur de ma part. Je me contente de le gérer au jour le jour. J'assiste encore aux réunions une semaine sur deux. Et parfois, j'essaye de me rappeler comment prier.

Il soutint son regard un moment encore, avant de se détourner et de reprendre possession de son couteau.

— C'est pourquoi je bois des litres de café... en m'assurant que ce n'est pas une de ces lavasses recrachées par ces satanées machines électriques.

Croyant déceler une pointe de soulagement sous le ton abrasif de Stone — comme si le fait de s'ouvrir à elle le libérait d'un poids — elle enchaîna :

— Chandra m'a confié que votre dernière enquête a été la cause de vos ennuis. C'est à ce moment-là que vous avez commencé à avoir besoin d'une béquille ?

— Bon sang ! On n'est pas dans un *talk-show*, ma belle !

Avec une agilité admirable, Stone jeta les œufs battus dans la poêle, y essaima le fromage râpé et se retourna vers elle.

— Si je vous ai parlé de mon problème d'alcool, c'est parce que je n'ai pas d'autre choix que d'y faire face avec lucidité, d'accord ? Mais la prochaine fois que vous discuterez avec Boyleston, expliquez-lui que la ville entière n'a pas à connaître l'histoire de ma vie. Et puis non, laissez tomber — je le lui dirai moi-même.

Décontenancée, Tamara le dévisagea avec colère, toute la chaleur qu'elle avait soudain réussi à ressentir à l'égard de cet homme s'évanouissant en un éclair.

— Vous devriez prendre des calmants, McQueen, affirma-t-elle d'un ton sec. Je ne cherchais qu'à être votre amie.

— Mon amie ?

Il eut un rire bref.

— Et on ferait quoi, ensuite — on regarderait *Friends* en

mangeant du pop-corn, et puis on discuterait des garçons avant de s'endormir ? Je n'ai que faire de votre amitié, ma belle.

Il semblait aussi scandalisé qu'elle.

— Tant mieux, s'exclama Tamara, laissant éclater son irritation.

Sans même se rendre compte qu'elle s'était levée, elle s'approcha à un centimètre de lui.

— Car vous feriez un piètre ami. Vous n'êtes même pas une relation agréable ! Et vous ne savez pas faire cuire une omelette. Celle-ci est brûlée. Alors, dites-moi… bébé, que vous reste-t-il donc ?

— Bon sang, l'omelette !

Sans se retourner, Stone fit glisser la poêle hors du feu et coupa le gaz du brûleur.

— Vous voulez savoir ce qui me reste, ma belle. Je vais vous le montrer. Mais tâchez de ne pas me faire rater mon coup cette fois, d'accord ?

— Comme si vous aviez besoin de moi pour ça, rétorqua Tamara entre ses dents, en enroulant ses bras autour du cou de Stone tandis que sa bouche s'approchait de la sienne.

5.

C'était comme si elle s'était jetée au cœur de la fournaise, sans protection. Déjà, les mains de Stone enserraient son visage, et Tamara vit ses cils épais s'abaisser sur ses yeux gris au moment où elle fermait elle-même les paupières. L'attirant à lui, il écarta légèrement les jambes et s'appuya au plan de travail. Les muscles de ses cuisses emprisonnèrent ses hanches, et elle le sentit se durcir contre elle.

Son manque de raffinement en société, un défaut que McQueen aurait sans doute eu intérêt à corriger, se muait en cet instant en une qualité irrésistiblement érotique.

Il lui donna un baiser passionné, enfonçant doucement sa langue dans sa bouche. Sentant son cou ployer sous l'intensité de son étreinte, Tamara resserra ses bras autour de la nuque de Stone.

Elle aussi, avait envie de goûter pleinement sa saveur.

Les mains enfouies dans la soie drue de ses cheveux, elle combla ce désir, vite et par petits à-coups. Elle se sentait brûler de l'intérieur, et la chaleur du corps de Stone contre le sien la galvanisait. Des images fulgurantes lui venaient à l'esprit, elle avait envie de voir Stone fondre tout entier sous les caresses. Envie qu'il se penche sur son corps dénudé, et que ces bras l'enlacent dans la pénombre d'une chambre.

Tamara sentit les mains de Stone descendre fiévreusement le long de son cou, de ses épaules, de ses côtes, jusqu'à emprisonner sa taille. Dans un vertige, elle se dit que la mystérieuse inconnue qu'il rendait responsable d'avoir embrasé ses sens semblait en effet avoir négligé d'éteindre un feu qui continuait de le dévorer.

Un feu qu'un léger souffle suffirait à attiser pour le transformer en brasier.

En le sentant soulever d'une main impatiente les rebords de son sweat-shirt jusqu'à son soutien-gorge, puis encercler sa poitrine de ses deux paumes ouvertes, Tamara retint un petit cri de surprise. S'arrachant à sa bouche, elle se dressa sur la pointe des pieds et traça un sillon brûlant sur son cou, de sa langue soudain pleine d'audace. Après quoi, arrondissant les lèvres, elle souffla doucement sur cette zone.

Un frisson parcourut Stone, et ses doigts glissèrent sur la peau satinée des bras de la jeune femme. Tout en reposant lentement les talons au sol, Tamara fit glisser son ventre dénudé contre le sien, en gémissant doucement.

Lorsqu'elle s'immobilisa, le pantalon de Stone représenta un plus piètre barrage encore à la manifestation très précise de sa virilité contre sa hanche.

— Alors, comme ça, vous appréciez la brûlure du désir, McQueen ? ironisa-t-elle en levant son regard vers lui.

Elle sentit la chaleur de son souffle sur ses lèvres.

— Y prendriez-vous plaisir, en ce moment ?

Les yeux toujours fermés, exhalant un long et prudent soupir, Stone acquiesça d'un léger hochement de tête. Tamara vit les muscles de sa mâchoire se tendre.

— Un plaisir immense, dit-il, dont vous allez certainement profiter à votre avantage.

Il entrouvrit les yeux, juste assez pour qu'elle voie la fièvre qui couvait dans son regard.

— Mais j'avais pensé que cela vous plairait aussi.

Ses larges mains toujours déployées sur sa poitrine, il fit glisser ses pouces sous la dentelle de son soutien-gorge. Puis d'un petit coup sec, il tira la bande de tissu vers le haut, et fit glisser d'une main leste sweat-shirt et soutien-gorge par-dessus sa tête.

Tamara se sentit soudain dangereusement exposée, sous l'éclairage vif de la cuisine. De manière instinctive, elle voulut porter ses mains à sa poitrine. Mais Stone emprisonna ses poignets.

— Non… Ne couvrez rien. Ils sont si jolis.

Elle se sentit rougir. Le regard de McQueen remontant vers son visage, il lui sourit, et approcha sa bouche de son oreille :

— Ils sont parfaits.

Tamara émit un petit rire gêné.

— Arrêtez, McQueen.

Elle tenta d'arracher son regard au sien, en vain.

— Vous… vous m'embarrassez.

— Une dure à cuire comme vous ? J'ai peine à le croire.

Stone fit glisser son index de sa clavicule jusqu'à la base de son cou, puis jusqu'au creux aménagé entre ses seins.

— J'ai envie de vous entendre m'appeler par mon prénom, Tam.

— C'est McQueen, et non votre prénom, qui me vient à l'esprit lorsque je pense à vous, répondit Tamara.

— Je sais.

Stone frôla le bout de son sein de sa paume et elle se sentit défaillir.

— Mais je veux que vous pensiez à moi en tant que Stone, ne serait-ce qu'une fois.

Il eut un mince sourire.

— Parce que, avouez que dans votre esprit, ce McQueen n'est qu'un minable, une véritable plaie, non ?

Tamara sentit un rire nerveux lui échapper.

— Pas exclusivement, marmonna-t-elle.

La main de Stone enserra son sein. Les yeux fermés et cambrant les reins, elle se laissa aller tout entière aux sensations qui l'assaillaient :

— Pas… pas tout le temps, Stone.

Il abaissa son visage vers sa poitrine, referma sa bouche autour de l'éminence rose de son sein et en suivit l'arrondi avec sa langue. Dans une vaine tentative pour retenir le gémissement qui montait de sa gorge, Tamara planta ses incisives dans sa lèvre inférieure. Elle voyait à travers ses cils les mains hâlées de Stone enserrer sa poitrine telles un corset, avant d'en suivre avec sa bouche la courbe pleine.

Se rendait-il compte de l'effet qu'avait sur elle la caresse de ses boucles brunes — celle de sa langue — sur sa peau nue ?

Avec l'impression de tourner sur un manège étourdissant, Tamara laissa aller en arrière sa tête soudain trop lourde pour elle. Des paillettes multicolores dansaient sous ses paupières et une chaleur pareille à celle du métal en fusion se diffusait dans ses veines.

Sans doute était-ce ce à quoi Stone avait voulu faire allusion, en insinuant tout à l'heure qu'il saurait l'embraser, lui faire aimer ce à quoi il avait lui-même pris goût. En tout cas, se dit-elle avec une inquiétude amusée, si Stone McQueen était sans cesse habité par le feu qu'elle sentait brûler en elle en cet instant, elle comprenait qu'il dégage cette impression d'une bombe sur le point d'exploser.

Mais cela justifiait-il le fait que ses propres barrières cèdent si facilement ? Bon sang, souffla dans sa tête une voix aussi saisissante qu'une douche glacée, elle était à deux doigts de succomber au désir d'un parfait inconnu — un homme qu'elle ne trouvait même pas sympathique.

— Bon Dieu ! grogna Stone au même instant.

Plus saisie encore par cette exclamation que par l'éclair de lucidité qui venait de lui traverser l'esprit, Tamara ouvrit brusquement les yeux. La mâchoire serrée, McQueen secouait la tête en la dévisageant d'un air sombre :

— A quoi pensons-nous ? Ça ne marcherait jamais, entre nous. Nous le savons aussi bien l'un que l'autre.

Sa voix était aussi tranchante que du verre. La bouche sensuelle qui, un instant plus tôt, l'avait rendue folle de désir, n'était plus qu'une mince ligne horizontale ; les mains qui l'avaient caressée si intimement se serraient à présent en forme de poings. La stupeur faisant place en elle à la colère, Tamara sentit les derniers lambeaux d'un désir irraisonné la déserter brutalement.

A quoi jouait-il ? Avec froideur, elle remarqua que les symptômes de l'émoi de Stone n'avaient pas *tous* disparu. Sa libido ne semblait pas avoir reçu le message envoyé par son cerveau.

Bien sûr, comprit-elle, dépitée. Elle continuait à lui offrir le spectacle gratuit de sa semi nudité.

Elle s'empara de son sweat-shirt, dans l'encolure duquel elle passa vivement sa tête. Apercevant quelque chose de blanc — son soutien-gorge — elle l'extirpa du vêtement et le jeta d'une main agacée sur la chaise la plus proche.

— Dites à votre petit camarade que la fête est terminée.

Son regard se posa brièvement au niveau de la ceinture de McQueen, avant de revenir vers son visage.

— Emmenez-le faire un tour. Ou je ne sais pas, moi, imposez-lui une douche froide. J'ignore *complètement* ce qui nous est passé par la tête, McQueen.

Après avoir resserré à deux mains l'élastique qui avait glissé autour de ses cheveux, elle ajouta :

— Mais en revanche, je sais parfaitement ce qui se passe à présent dans la mienne.

— Tant mieux pour vous. Vous me battez d'une longueur, dans ce cas.

Stone lui décocha un sourire tendu, puis poussa un soupir.

— Ecoutez, Tam, ne croyez pas que je cherche à me comporter en mufle. Je m'efforce au contraire de m'en abstenir. Comme vous l'avez si judicieusement noté, il est *évident* que je préférerais vous attraper par les cheveux et vous traîner jusqu'au lit qui se trouve à côté.

— Quel romantisme, observa Tamara avec sarcasme. Vous savez parler aux femmes, McQueen. Quant à votre muflerie, j'ignore ce qui vous donne l'impression de vous en abstenir.

Une pointe de colère s'était insinuée dans sa voix.

Stone se frotta la mâchoire en soupirant, comme s'il se trouvait confronté à un problème plus épineux que prévu. Il abaissa un instant ses épais cils noirs sur ses yeux, avant de lever vers elle un regard assombri.

— Epousez-moi, Tam.

Une inflexion indéfinissable couvait dans sa voix rauque et il eut un sourire amer.

— Vous voyez ce que je veux dire : la robe blanche, l'église... tout le tralala, quoi. Qu'en dites-vous ?

Prenant conscience qu'elle le dévisageait, bouche bée, Tamara referma les mâchoires d'un coup sec.

— Vous êtes devenu fou, McQueen ? Ou alors, vous avez réussi à acheter de l'alcool en douce ? Non, si ç'avait été le cas, je l'aurais remarqué.

Elle secoua la tête avec incrédulité.

— Où voulez-en venir ?

— Au fait que si nous avions été plus loin, vous m'auriez détesté à peine nos exploits achevés.

La voix de Stone exprimait elle aussi une colère à peine contenue.

— Je ne pense pas que vous m'appréciez particulièrement, et je suis persuadé qu'après ça, nous n'aurions pas flâné au lit en échangeant des mots doux.

Il souleva les épaules avec raideur.

— Je sais que vous avez envie de moi, bien que je sois incapable d'en comprendre la cause. Peut-être aimez-vous les brutes, après tout. Mais je ne le suis pas assez pour profiter de vous et disparaître comme un voleur. Pas au vu de la situation actuelle en tout cas. N'oubliez pas qu'il y a une petite fille en jeu, dont nous devons tous deux nous préoccuper.

Il la toisait d'un œil sévère. Après avoir soutenu un instant son regard avec circonspection, Tamara sentit sa colère se dégonfler comme un ballon de baudruche.

Stone avait raison. Il avait raison sur toute la ligne. Dès qu'elle avait posé les yeux sur lui, elle était tombée — non pas amoureuse — mais sous l'emprise de la sensualité saisissante qui se dégageait de lui. Même si elle n'en avait pas tenu compte, elle avait aussitôt deviné à quel point cet homme pourrait s'avérer dangereux pour elle.

Et il avait également raison en ce qui concernait Petra.

Comme il continuait de l'observer avec insistance, Tamara se dirigea avec raideur vers le placard, dont elle sortit deux assiettes. Puis elle découpa nerveusement l'omelette à l'aide d'une spatule et en renversa une part sur une des assiettes qu'elle lui tendit.

— Votre omelette est froide et brûlée. Bon appétit, McQueen, dit-elle sèchement.

Après s'être servie à son tour, Tamara se laissa tomber sur une des chaises qui faisaient face à la table.

— Votre amie a été assassinée, affirma alors Stone. Et si vous pensez que je suis cinglé, comme Chandra, vous commettez une grave erreur. Alors, dites-moi, que comptez-vous entreprendre ?

— Rien, répliqua Tamara. Laisser les gens payés pour le faire se pencher sur le problème. Ils ont les ressources et les contacts nécessaires. Pas nous.

— Je suis encore en mesure de tirer quelques vieilles ficelles, et j'ai cent fois plus de ressources que les deux pitres qui, d'après Chandra, sont assignés à cette affaire.

Stone s'assit en face d'elle, se laissant aller contre le dossier de sa chaise.

— Tommy Knopf, et Bill Trainor, précisa-t-il, les deux génies qui ont proclamé que l'incendie du Dazzlers était un accident. Ils n'étaient pas très heureux, lorsque j'ai réuni les preuves qui ont expédié Jimmy Malone en prison.

Il haussa les épaules.

— Je crois également avoir mentionné leur incompétence à la presse, dans le but de faire rouvrir le dossier. S'ils m'en tiennent toujours rigueur, ce qui est probable, ils refuseront d'entendre le récit de ce que j'ai vu dans la chambre où a péri votre amie.

— Comme c'est surprenant ! Deux noms viennent encore s'ajouter à la liste des personnes que vous vous êtes mises à dos.

Sur ces mots, Tamara se leva et ramassa son assiette.

— Ecoutez, McQueen, vous vous basez sur l'aperçu que vous avez eu de cette chambre pour affirmer qu'on devrait ignorer le restant des preuves liées à cette affaire. Je vous dis que Claudia fumait. Que ce jour-là, elle a fumé dans son lit. Elle est morte asphyxiée, avant même que le feu ne s'empare de la chambre. C'est l'exemple type de ce genre de… de ce genre d'accident tragique.

Lui tournant le dos, elle racla son assiette dont elle vida le contenu intact dans la poubelle. Jamais elle n'aurait souhaité parler de la mort de Claudia en ces termes — avec une logique et une froideur aussi monstrueuses. Blâmer la faute sur les victimes lui déplaisait tout autant, pensa Tamara avec tristesse, mais elle devait faire comprendre à Stone qu'il prenait de sérieux risques en transformant des hypothèses en certitudes. Elle se retourna, pour le découvrir, debout à quelques centimètres d'elle.

— Je veux bien croire que vous ayez été un expert avisé dans le passé, Stone, assura-t-elle d'une voix tremblante. Mais c'était il y a longtemps, et votre mode de vie, ces dernières années, a dû émousser vos talents. Tant que vous encouragerez Petra à croire que sa mère a été assassinée, elle pensera qu'un affreux croquemitaine se dissimule derrière chaque buisson pour s'attaquer à elle. Je ne peux pas vous laisser faire ça.

— Ce n'est pas moi qui lui ai mis cette idée en tête, ma belle.

Le regard de Stone se durcit.

— Vous me croyez vraiment irresponsable ? Avant mon arrivée, Petra savait déjà que l'incendie qui a tué Claudia était un acte volontaire. C'est au contraire en laminant sa confiance en son propre jugement… ainsi qu'en sa mère, qu'on pourrait lui faire du mal. C'est cela que vous voulez ?

La question de Stone, songea Tamara, ne faisait que mettre en mots ses craintes les plus profondes.

— Bien sûr que non ! s'écria-t-elle avec âpreté. Croyez-vous que j'ignore à quel point il va m'être difficile d'établir une relation avec Petra ? Alors que je suis une inconnue qui vient s'immiscer dans sa vie pour prendre la place de sa mère ? Même sans les complications auxquelles vous faites allusion, il y a toutes les chances pour qu'elle me rejette. Mais malgré le fossé qui s'était creusé entre nous, bien que je n'étais pas là quand elle aurait eu besoin de moi, Claudia m'a confié la responsabilité d'élever sa fille.

Tamara sentit sa vision se brouiller.

— Et cette fois, je ne la laisserai pas tomber ! Pas même si cela implique de me battre bec et ongles contre vous !

Se penchant par-dessus la table, elle ferma vivement l'espace qui les séparait et empoigna à deux mains le devant du T-shirt de Stone.

— Croyez-moi, Stone, je *sais* ce que cette petite fille traverse. Les enfants ont tellement besoin de comprendre ce qui leur arrive qu'ils saisissent n'importe quelle opportunité d'y apporter un sens. S'ils n'apprennent pas à admettre que la vie est parfois faite d'accidents terribles — d'accidents tragiques — mais dont personne ne doit être blâmé, ils risquent de s'en accuser personnellement. Je refuse que Petra en passe par là.

Elle tira d'un coup sec sur le coton du T-shirt.

— Et je vais m'assurer personnellement que cette épreuve lui soit évitée, vous comprenez ce que je vous dis ?

Livide, déterminée, elle braqua son regard dans celui de Stone. L'air soudain assombri, il la saisit par les poignets.

— Je crois, oui. Vos parents et votre frère… sont morts dans un incendie, eux aussi, n'est-ce pas ? Quel âge aviez-vous alors ? Celui de Petra ?

— J'avais cinq ans, répondit spontanément Tamara.

Puis, resserrant subitement l'étreinte de ses doigts autour du T-shirt de Stone :

— Mais… comment… comment le savez-vous ? C'est Chandra qui vous en a parlé ?

Il secoua la tête en signe de dénégation.

— Je l'ai compris en voyant la photo fixée à l'intérieur de votre casque…

Stone s'interrompit, l'ébauche d'un sourire traversant ses traits.

— Je me suis douté que le petit garçon sur le vélo était votre frère, et l'homme et la femme près de la voiture, vos parents. Comme cette photo paraissait ancienne, j'ai pensé que s'ils avaient été encore en vie, vous auriez conservé sur vous un cliché d'eux plus récent. Ça s'est passé au cours d'un incendie, Tam ?

Les yeux agrandis par le chagrin que ravivait ce souvenir, Tamara acquiesça d'un hochement de tête.

— C'était dans un motel en dehors de Boston. Ce week-end là, Mikey participait à un tournoi de hockey. Mais quand, et où, avez-vous vu cette photo ?

Il haussa les épaules.

— Tout à l'heure, dans ce couloir en flammes. Quand votre casque a été arraché.

Tamara desserra lentement les poings et fronça les sourcils, s'efforçant de se remémorer cet instant.

Tout s'était passé si vite. Lui faisant un bouclier de son corps, Stone l'avait entraînée dans sa course folle, et à un moment, elle avait effectivement perdu son casque, suite à l'impact effrayant du souffle.

Malgré la fumée, la confusion, il aurait eu le temps d'apercevoir le cliché qu'elle conservait si précieusement dans son casque, s'étonna Tamara. Alors que quelques fractions de seconde plus tard, il s'élançait déjà au cœur de la fournaise, au secours de Petra.

Stone McQueen avait la réputation d'être un mufle, et avait en effet tendance à se montrer corrosif, et fort arrogant.

Mais on disait également qu'il avait été le meilleur dans sa branche. Une légende qui semblait décidément se justifier.

— Vous avez vu cela en un simple coup d'œil ? Et deviné de surcroît de qui il s'agissait ? Comment faites-vous ?

Il sembla déconcerté par sa remarque.

— Si on a la chance d'arriver sur les lieux d'un incendie avant que le feu n'ait détruit tous les indices, on ouvre grand les yeux, ma belle. Enfin, moi, c'est ce que je fais, précisa Stone en reniflant avec dédain. Je ne garantirais pas que ce soit le cas de ce bouffon de Knopf, ni de son acolyte.

L'air soudain plus modeste, il enfonça ses mains dans ses poches.

— Mais vous avez raison, je ne jouis plus d'aucun statut officiel, et le meilleur service que je puisse rendre à Petra est sans doute de me désintéresser de cette affaire.

Puis, levant vers elle un regard dubitatif :

— C'est vraiment quelqu'un, cette petite, n'est-ce pas ? C'est drôle qu'elle m'ait ainsi pris en affection.

Un sourire hésitant aux lèvres, Stone s'interrompit. Il prit une longue inspiration, avant de considérer la pièce d'un œil soudain impatient.

— Ecoutez, Tam, ce décor est un peu trop domestique pour moi, trop ordonné — le chat, le thé qui infuse dans la théière. Je crois qu'il vaut mieux que je m'en aille.

Il s'éclaircit la gorge :

— Demain, je ferai un saut à l'hôpital, et j'expliquerai à Petra que j'ai rêvé, quant à cette histoire d'incendie volontaire.

Sans répondre, Tamara se tourna face au plan de travail et commença à ramasser les coquilles d'œufs qu'il avait laissées sur la planche à découper. Après en avoir réservé deux, elle se pencha pour attraper une casserole dans le tiroir. Derrière elle, Stone prit une nouvelle inspiration.

— Bon, annonça-t-il d'une voix rauque. J'y vais.

Elle remplit la casserole d'eau, la posa sur le feu, l'apercevant du coin de l'œil qui caressait la tête de Pangor avant de se redresser avec raideur. Il avait atteint la porte de la cuisine lorsqu'elle se décida à ouvrir la bouche :

— Combien de fichu café faut-il mettre, McQueen ?

Comme il s'immobilisait, elle leva les yeux vers lui.

— Je n'ai pas l'habitude de le faire de cette manière. Combien dois-je en mettre ?

Avec une expression impénétrable, Stone refit un pas à l'intérieur de la pièce.

— Je croyais que vous n'aimiez que le thé.

— Le thé ne me tient pas éveillée des heures durant, répliqua Tamara. Vous êtes un piètre cuisinier, et d'après ce que j'ai vu, un amant lamentable. Mais vous étiez un excellent expert, et je crois que vous l'êtes toujours. Je crois également que ce vous dites avoir remarqué dans cette chambre est vrai, et donc, que vous avez raison — Claudia a été assassinée.

Tamara serra les lèvres avant d'ajouter avec reproche :

— Mais bien sûr, après vous être mis à dos tous ceux qui seraient en mesure d'intervenir dans cette affaire, personne ne va plus vouloir vous écouter. A part moi.

Sur ces mots, elle poussa un soupir.

— Alors, faites-nous du café, McQueen, parce que je crois que nous n'allons pas beaucoup dormir, cette nuit.

Stone la dévisagea un moment, puis s'approchant d'elle, il prit sa place devant la gazinière.

— Il faut trois grosses cuillérées. Allez, soyons fous, disons quatre.

Puis s'emparant de la boîte métallique qu'elle lui tendait :

— On voit que vous êtes une buveuse de thé. Vous n'avez aucune idée de quelle marque de café acheter. Il y a également un ou deux autres points sur lesquels vous vous méprenez.

— Ah oui ? Lesquels ? demanda Tamara en croisant ses bras sur sa poitrine.

— D'abord, je ne me suis pas mis tout le monde à dos. Chandra, elle, a continué à me faire confiance.

Après qu'il ait renversé dans la casserole ce qui lui sembla une demi-livre de café, Tamara lui tendit les coquilles.

— D'accord, convint-elle. Et le deuxième ?

Allait-il mentionner ses prouesses sexuelles ? Elle regrettait déjà sa boutade à ce sujet. Pour être honnête, elle n'avait cherché en la lui assenant qu'à soulager son orgueil blessé.

Or, ainsi qu'il l'avait fait remarquer, coucher avec Stone McQueen se serait avéré une très mauvaise idée. Elle ne pouvait donc lui en vouloir d'être arrivé le premier à cette conclusion.

— A quel deuxième point faites-vous allusion, McQueen ? insista-t-elle, tout en regrettant aussitôt sa question.

Le café commença à frémir et Stone y jeta les coquilles d'œufs en un geste magistral.

— Le deuxième point ?

Un sourire éclaircit ses traits.

— Il concerne mes talents de cuisinier, bien sûr. Car contrairement à vos allégations, je suis un véritable *cordon-bleu*. A présent, ôtez-vous de là. C'est le moment crucial.

Stone lui décocha un regard narquois avant de se retourner vers la cuisinière. Bien qu'elle se soit éloignée de lui, Tamara entendit la remarque qu'il ajouta entre ses dents :

— Je peux *cuisiner* jusqu'au bout de la nuit et être frais et dispos pour vous apporter le petit déjeuner au lit, ma belle. Ce que j'ai la ferme intention de faire, un de ces jours.

6.

— Merci de m'avoir prévenue, lieutenant.

Le téléphone calé entre son oreille et son épaule, Tamara ramena ses pieds sur le rebord de sa chaise. A l'autre bout du fil, Chandra lui posa une question.

— Pardon ? demanda Tamara. Oh, McQueen. Je ne sais pas. Il doit dormir. Nous nous sommes tenus éveillés très tard, la nuit dernière.

Elle étouffa un bâillement. Chandra s'excusait de l'avoir dérangée.

— Pas du tout, assura-t-elle, je vous aurais appelée de toute façon. Je suis si heureuse d'apprendre que Joey est hors de danger.

Elle aurait dû s'enquérir du numéro de sa chambre, regretta Tamara après avoir raccroché, tandis qu'elle se dirigeait d'un pas feutré vers le frigidaire dont elle sortit une brique de jus d'orange. Mais cela n'aurait rien changé, les visites n'étant sans doute pas encore autorisées…

Mon Dieu, qu'avait-elle raconté à Chandra ? *Que McQueen et elle s'étaient tenus éveillés tard dans la nuit ?* Pas étonnant que celle-ci ait raccroché aussi rapidement. Elle fixa le carton de jus de fruit durant un instant avant de renverser la tête et de le porter à ses lèvres — un des avantages de la vie de célibataire, se dit Tamara en fermant les yeux tandis qu'elle avalait d'un trait une rasade de vitamine C. Elle pouvait se promener, comme ce matin, en chaussettes dépareillées, boire au goulot, ou même s'empiffrer à loisir un paquet de pop-corn, écroulée devant la télévision…

— Ce spectacle me rappelle des souvenirs, affirma une voix rauque derrière elle. Remplacez le jus d'orange par une bouteille de vin et on croirait moi, il y a un an de cela.

Manquant s'étrangler, Tamara abaissa en hâte la brique en carton qu'elle déposa sur le comptoir. S'approchant de la table, Stone y déballa le contenu d'un sac de victuailles en papier brun.

— J'ai trouvé un jeu de clés sur le meuble du vestibule, expliqua-t-il. Je me suis d'abord rendu à la caserne où j'ai récupéré votre véhicule. J'ai jeté un coup d'œil dans votre chambre avant de partir, mais vous dormiez à poings fermés.

Il consulta la pendule de la cuisine.

— Je suis debout depuis 5 heures du matin et il est 9 h 30. Avez-vous l'intention de passer la journée dans cet affreux pyjama ?

Il convenait, pensa Tamara, aussitôt furibonde, d'instaurer au plus vite un règlement intérieur dans cette maison.

Elle braqua son regard sur McQueen — sur son dos plutôt, car, ignorant son indignation, il s'était accroupi près de l'assiette du chat dans laquelle il vidait le contenu malodorant d'une boîte de rognons. Après avoir caressé avec rudesse la queue d'un Pangor extatique, il regarda en silence l'animal manger.

Tamara s'apprêtait à l'invectiver, quand ses protestations moururent sur ses lèvres.

Elle se souvint qu'il avait déployé la même affection maladroite à l'égard de Petra. Or, comme Pangor, habituellement si distant, la petite fille semblait avoir éprouvé pour lui une adoration immédiate. En fait, et même s'il avait la sale manie de toujours enchaîner avec une remarque exaspérante, Stone avait déjà exprimé une part de la tendresse qui l'habitait à son propre profit, dut-elle convenir. La veille au soir, il avait voulu lui faire à manger. Ce matin, afin de récupérer sa voiture, il était allé à pied jusqu'à la caserne. Il avait fait des courses.

Stone McQueen serait-il en fait un diamant… à l'état brut ? Il était dommage dans ce cas, que son attitude se qualifie le plus souvent par ce dernier adjectif.

Comme il était dommage qu'elle soit contrainte de s'opposer à lui, en cet instant, se dit Tamara avec un soupir résigné. Abaissant son regard sur la vieille chemise qui lui servait de haut de pyjama, elle remarqua avec embarras qu'elle l'avait enfilée à l'envers, la veille au soir. Celle-ci pendait lamentablement jusqu'à ses genoux, à partir desquels un caleçon déformé couvrait ses jambes jusqu'à ses chaussettes dépareillées.

Mais même si sa triste mise ne la plaçait guère en position de force, elle se devait d'intervenir au plus tôt.

— Premièrement…, dit-elle.

Elle fut ravie de percevoir dans sa voix une dureté pareille à celle qui habitait la plupart du temps l'inflexion de Stone.

— Premièrement, je vous interdis de faire irruption dans ma chambre sans frapper. Deuxièmement…

Tamara s'interrompit. Quel était le deuxième point qu'elle entendait souligner, se demanda-t-elle en vain. Qu'il cesse de se comporter en mufle à longueur de temps ? Qu'il abandonne ses manières de chien enragé ? Sans le quitter des yeux, elle secoua lentement la tête.

— Je me demande vraiment ce que vous avez dans le ventre, McQueen.

Tout en posant cette question, elle se rendit compte qu'elle avait *réellement* envie de le savoir.

— Pourquoi vous montrez-vous toujours si… aigre ?

Elle scrutait son visage avec insistance.

— Vous avez forcément été différent, à un moment ou à un autre de votre vie, même s'il faut remonter à votre plus tendre enfance. Je parie que vos parents ne vous laissaient pas les rudoyer de la sorte.

— J'aurais effectivement eu du mal à les rudoyer, répliqua Stone d'une voix blanche, étant donné que je n'ai pas connu mon père, et que ma mère a quitté l'hôpital le lendemain de ma naissance en oubliant de m'emmener avec elle.

Comme elle le dévisageait avec émotion, il ajouta :

— Arrêtez de me regarder comme ça. J'ai trente-quatre ans. On ne m'a pas materné du temps où je portais des couches, alors je n'attends pas qu'une femme le fasse aujourd'hui. Je n'ai jamais été un *charmant* bambin, ce qui fait que l'orphelinat a dû me placer auprès de tant de familles d'accueil successives, que je n'arrive pas à me les rappeler. J'ai grandi vite, et me suis rapidement endurci. Dans le monde où nous vivons, la dureté se révélant plutôt une qualité, je me félicite d'avoir appris la leçon de bonne heure.

Il haussa les épaules.

— Mais vous aussi, vous avez eu la vie dure. Nous ne sommes pas si différents, vous savez.

— Moi, je n'ai pas été trimballée d'un foyer à l'autre, répliqua Tamara d'une voix douce. Mon oncle Jack et ma tante Kate, les meilleurs amis de mes parents, m'ont aussitôt adoptée. Ils ont tout fait pour que je grandisse en me sachant aimée. Il y a un monde entre mon enfance et la vôtre, Stone.

— Si vous le dites, convint Stone sans conviction. Mais si ce n'est votre enfance, qu'est-ce qui a fait de vous la femme que vous êtes aujourd'hui ?

— Que voulez-vous dire ? Je ne comprends pas.

Elle lui souriait, mais l'inflexion de sa voix s'était tendue.

— Vous vivez seule, avec pour unique compagnon un chat qui vous déteste, fit-il remarquer d'un ton tranchant. Vous avez été blessée hier, mais je ne vous ai entendue appeler personne susceptible de s'inquiéter de votre santé.

Tamara l'interrompit :

— Mon oncle a téléphoné à l'hôpital hier soir. Il a parlé à Chandra, qui lui a assuré que je n'avais rien de grave.

— Il est votre seule famille proche ?

— Depuis la mort de tante Kate survenue l'an dernier, oui.

Elle serra les lèvres.

— Mais je ne vois toujours pas où vous voulez en venir.

— Vous n'avez pas non plus de petit ami, sinon je n'aurais pas passé la nuit à quelques mètres de votre chambre. Ce que je veux dire, c'est que vous tenez le monde à distance, ma belle. Je me demande même si vous ne me battez pas d'une longueur à ce sport, sauf que vous dissimulez mieux votre jeu. Alors dites-moi ce qui vous a ainsi privé de toute confiance en l'espèce humaine ?

— C'est incroyable !

Tamara haussa un sourcil furieux.

— Si j'étais un homme, mon mode de vie ne vous choquerait pas. Mais comme je suis une femme, vous pensez qu'il y a forcément une faille quelque part, pour que je n'aie personne dans ma vie. D'abord, je vous rappelle que *j'ai été* fiancée. Le fait que ce garçon se soit enfui avec ma meilleure amie a en effet pu ébranler un moment ma confiance en l'humanité. Mais la vérité est qu'une fois remise de cette déception, je me suis rendu compte que la vie de célibataire me convenait parfaitement.

— Peut-être, grinça Stone, mais c'est parce que vous avez trop peur de vous fier à quiconque pour tomber amoureuse. Ce type dont vous semblez regretter qu'il vous ait laissée tomber, je suis persuadé que vous ne l'avez jamais aimé. Et savez-vous pourquoi nous nous sommes trouvés à deux doigts de coucher ensemble hier soir ? Parce que je suis le type parfait pour vous — un inconnu, dont vous ne pouvez pas imaginer tomber amoureuse, tant il a mauvais caractère, et dont vous êtes persuadée qu'il est lui-même trop endurci pour s'éprendre de vous. L'homme idéal, en somme.

Quelques minutes auparavant, se rappela Tamara, une colère glacée affluant soudain dans ses veines, elle avait pensé à lui comme à un diamant à l'état brut. Mais en face d'elle se trouvait à présent le véritable Stone McQueen — brutal, offensif, au-delà même de la grossièreté. S'octroyant, qui plus est, le droit de juger son existence. D'une voix tremblante, elle s'exclama :

— Cela suffit ! Vous et moi ne nous ressemblons en rien, McQueen. Nous sommes si différents, au contraire, que nous ne pourrions même pas travailler ensemble. Mais dites-moi, est-ce parce que vous aviez épuisé votre stock de souffre-douleur que vous avez démissionné, ou bien vos malheureux collègues étaient-ils si fatigués de vous qu'ils ont voté votre retrait de la liste ?

Avant même d'avoir achevé sa phrase, Tamara vit le regard de Stone se glacer et ses traits se fermer brutalement.

Elle se rendit alors compte qu'elle venait de franchir les bornes, et regretta aussitôt de ne pouvoir retirer ce qu'elle venait de lui cracher au visage. Elle n'éprouvait soudain aucun désir de figurer dernière sur la liste des personnes qui avaient un jour blessé Stone McQueen.

Mais il était trop tard.

— Vous aimeriez *vraiment* le savoir, n'est-ce pas ? siffla-t-il entre ses dents.

La touche de velours qu'elle avait toujours perçue sous les accents rocailleux de sa voix avait complètement disparu.

— Je peux aussi bien vous l'expliquer. De toute façon, si vous commencez à interroger un peu les gens autour de vous, quelqu'un se fera un plaisir de vous le raconter tôt ou tard.

— Non, protesta Tamara. Je ne veux pas le savoir…

Se forçant à calmer les tremblements de sa voix, elle ajouta :

— … Puisque c'est quelque chose dont vous n'avez, de toute évidence, pas envie de parler. J'ignore même pourquoi je vous ai attaqué à ce sujet.

— Parce que je vous ai approchée d'un peu trop près, ma belle.

L'espace d'une seconde, comme un éclair illumine brièvement un paysage, elle crut voir une lueur de souffrance traverser son regard éteint.

— Vous vouliez tout simplement m'écarter de votre chemin. Mais je vais répondre à votre question : j'ai laissé cinq pompiers mourir. C'est pour ça que j'ai démissionné.

— Cinq pompiers…

Tamara s'interrompit. Faisant soudain le rapprochement entre ce que Stone venait de dire et une tragédie notoire survenue plusieurs années auparavant, elle précisa d'une voix grave :

— Quatre hommes et une femme, Donna Burke. Au cours de l'incendie d'un complexe de bureaux dans les tours Mitchell. Ils sont entrés dans le bâtiment en flammes et n'en sont jamais ressortis vivants.

— En effet, répliqua McQueen, laconique. J'ai vu de mes yeux la tour s'effondrer sur eux. C'est après avoir assisté un par un à leurs enterrements que j'ai démissionné.

Lors de sa formation, se rappela Tamara, c'était un drame encore récent. Le fait qu'une femme y ait perdu la vie lui avait fait prendre clairement conscience des dangers inhérents à la carrière qu'elle allait embrasser. Elle se souvint s'être rendue à la bibliothèque afin d'y consulter les articles du *Boston Globe* de l'époque. Le quotidien avait dignement rendu honneur aux cinq victimes, en évoquant longuement leurs profils respectifs.

Elle avait ainsi appris que peu de temps avant sa mort, Donna Burke avait sauvé un enfant en bas âge de l'incendie d'une crèche. Tamara se rappela avoir quitté la bibliothèque en se disant qu'avancer sur les traces d'une femme comme celle-ci serait un courageux privilège.

Mais elle ne se souvenait pas avoir vu le nom de Stone figurer dans ces articles.

— Je ne comprends pas…

Elle s'interrompit. Il ne fallait pas qu'il lise la moindre compassion dans son regard. Il l'aurait prise pour de la pitié.

— … Pourquoi vous sentez-vous responsable de leur mort ? Pour l'être, il aurait fallu que vous vous trouviez sur les lieux, or les experts n'interviennent pas dans le feu de l'action. Votre tâche commence *une fois* l'incendie maîtrisé.

— C'est exact. Mais cette fois-ci, j'étais là, et j'ai commis une grave erreur.

Stone détourna les yeux avant d'ajouter :

— Ecoutez, ma belle, cet échange m'a ravi, mais laissons tomber ce sujet, d'accord ?

Son ton s'était soudain fait dur, irrévocable. Manifestement, il avait dit tout ce qu'il avait à dire. Se refermant sur lui-même, Stone s'était retranché derrière le mur qui l'aidait à tenir ses démons à distance. Elle n'avait aucun moyen d'insister. D'ici à un mois ou deux, la présence de ces spectres se faisant de nouveau intolérable, peut-être observerait-il le monde extérieur depuis la fenêtre d'une chambre d'hôtel, en se demandant si continuer valait la peine.

« Mais pas tant que je suis en service », décida Tamara en son for intérieur. A brûle-pourpoint, elle demanda :

— Comment avez-vous réussi à pénétrer sur le site ce matin sans vous faire rembarrer ?

Sa voix n'exprimait rien d'autre qu'une curiosité détachée. Mais sa main trembla sur le bol de Pangor tandis qu'elle se penchait pour le ramasser, en l'attente de la réponse de McQueen.

— Je sais que vous y êtes allé, Stone.

Sans le regarder, elle remplit le petit récipient d'eau.

— J'ai senti l'odeur de fumée sur vos vêtements. Auriez-vous découvert un indice ?

Stone demeura silencieux un instant de plus. Elle commençait à croire qu'il refusait de répondre, quand il répliqua — à voix basse, comme s'il se parlait à lui-même :

— Le troisième étage a été littéralement pulvérisé. Quand ils se mettront enfin au boulot, et s'ils veulent procéder à une enquête digne de ce nom, Trainor et Knopf vont devoir utiliser un chien. Mais je doute qu'ils prennent cette peine.

Il abaissa son regard sur son pantalon de treillis qu'il brossa du plat de la main afin de le débarrasser de quelque chose. Puis s'avançant jusqu'à la table, il se laissa tomber sur une chaise.

— Bon sang, Tamara, j'ai promis à Petra de l'aider.

Il passa une main lasse dans ses cheveux avant de reconnaître :

— Je n'aurais pas dû le faire, et je ne serai peut-être pas en mesure d'honorer cette promesse jusqu'au bout. Mais je ne peux pas laisser tomber sans au moins essayer. Elle compte vraiment sur moi.

Il eut un sourire amer.

— Cela faisait longtemps que je ne m'étais pas entendu parler comme ça.

— Claudia comptait, elle aussi, sur moi.

Les yeux brillants, Tamara soutint le regard de Stone.

— Dieu sait pourquoi ? Elle aurait pu tirer au sort une bien meilleure mère pour sa fille, pourtant c'est moi qu'elle a choisie. Mais dites-moi un peu, McQueen, où avez-vous trouvé un chien, à 5 heures du matin ?

Stone leva vers elle un regard médusé avant de l'abaisser, un sourire aux lèvres, sur les poils dénonciateurs collés à la toile de son pantalon.

— Je vous ai dit que j'avais encore quelques contacts. Il se trouve que l'un d'eux marche à quatre pattes.

Il haussa une épaule amusée.

— C'est Jerry Super Chien. Lui aussi une légende, en son temps. Sauf que contrairement à moi, Jerry a pris sa retraite avec les honneurs avant d'être adopté par la veuve d'un vieux pompier avec qui j'avais souvent travaillé. Comme Jerry passe à présent ses journées à dormir au soleil, Betty doutait fortement qu'il dispose encore de ses talents de fin limier. Pour être franc, moi aussi.

— C'était un de ces chiens dressés à la détection de produits inflammables ?

Elle avait déjà vu ces animaux à l'œuvre, quadriller des kilomètres de ruines fumantes. Leur flair extraordinaire s'exerçait dans un but unique — déceler parmi un millier d'autres odeurs celle d'un éventuel combustible.

— Un berger allemand, précisa Stone en opinant de la tête. J'ai déjà utilisé ses services dans le passé. Plus d'un salaud a été écroué après que Jerry ait reniflé la preuve de sa culpabilité.

Il secoua la tête avec incrédulité :

— Je vous jure que quand je l'ai fait monter en voiture ce matin, ce vieux chien savait exactement où je l'emmenais. Et dès qu'on est arrivés sur le site…

Stone s'interrompit.

— A ce sujet, dit-il, je n'ai eu aucun mal à entrer. L'accès était bien sûr interdit, mais les mesures de sécurité n'étaient pas celles utilisées en cas d'incendie d'origine criminelle.

— Je ne comprends pas.

Tamara braqua son regard sur lui.

— Boyleston a pourtant déjà dû communiquer vos informations aux autorités compétentes. Ils sont obligés de suivre la procédure.

— Je crois, hélas, que vous aviez raison tout à l'heure.

Le sourire de McQueen démentait la soudaine dureté de son regard.

— Sans doute ai-je été définitivement rayé de la liste. Je parie que ce que j'ai expliqué à Chandra n'a même pas fait son chemin jusqu'au rapport officiel. Ils vont saborder cette affaire comme ils l'ont fait pour l'incendie du Dazzlers.

Stone *avait* découvert un indice, comprit Tamara, alertée par la colère qui venait de percer dans sa voix. Ses pupilles s'étrécirent tandis qu'elle scrutait ses traits.

— Jerry n'a rien perdu de ses talents, c'est cela ? Il a trouvé quelque chose.

Les mâchoires serrées, Stone acquiesça d'un hochement de tête.

— J'ignore encore laquelle, mais oui, il a découvert une combinaison chimique suspecte, sur un fragment de métal qui ressemble étrangement à un ressort de matelas.

— Mais alors, cela signifie que Trainor et Knopf vont être forcés de vous écouter..., commença Tamara.

Stone l'interrompit d'une voix sèche :

— Ne comprenez-vous pas ? *Personne* n'est obligé d'écouter ce que j'ai à dire. Je suis un *has been*, un ex-alcoolique, une bombe humaine que tout le monde s'attend à voir exploser d'un instant à l'autre. Même Chandra pense que je délire. C'est bien ce qu'elle vous a dit, n'est-ce pas ?

— Elle a dit que l'information que vous lui aviez communiquée n'était pas fiable, convint Tamara à contrecœur. Mais c'était avant que vous n'ayez mis la main sur une preuve capable de corroborer vos assertions, McQueen.

— Je vous ai expliqué que les lieux n'étaient pas sécurisés. Qu'est-ce qui prouve alors, que ce cinglé de McQueen n'ait pas déposé une trace de produit inflammable sur le site, en une ultime tentative de regagner sa gloire passée. C'est ce qu'ils diront, Tam. Je ne peux même pas les en blâmer. Mais le fait est que j'ai besoin d'un sacré coup de pouce dans cette affaire, et que je n'ai plus personne vers qui me tourner.

— Moi si, affirma Tamara.

Pourquoi n'y avait-elle pas songé plus tôt ? Alors que la solution lui crevait les yeux depuis le début ?

— Mon oncle Jack. Il était l'un des nôtres. Il y a quelques années déjà qu'il a officiellement pris sa retraite, mais il est resté très actif dans le domaine des relations publiques, et il a encore pas mal de poids auprès des pouvoirs en place.

Elle lut le doute dans le regard de McQueen.

— Je sais ce que vous pensez, Stone, mais pour un homme qui a débuté comme simple pompier, oncle Jack a des amis très influents. Il a été cité pour avoir manqué périr dans une usine en feu afin de sauver une femme enceinte. Après cela, il n'a jamais plus pu retourner en « première ligne ». Mais on lui a proposé un poste de médiateur entre la brigade de Boston et la municipalité.

Stone fronçait les sourcils.

— Comment s'appelle-t-il ? King, comme vous ? Ou bien avez-vous gardé le nom de vos parents après qu'il vous ait adopté ?

Tamara secoua la tête sans comprendre où Stone voulait en venir.

— Il s'appelle Jack Foley. Vous l'avez sans doute croisé sur le terrain.

— L'usine de chaussures Corona ! murmura Stone.

Son visage avait pâli sous son hâle.

— A l'arrivée du groupe d'intervention numéro 11 dont votre oncle faisait partie, cette usine était déjà transformée en brasier. Un bleu, une tête brûlée, s'est retrouvé coincé dans une cage d'escalier en tentant de porter assistance à la femme enceinte à laquelle vous faisiez allusion. Après avoir arraché lui-même la jeune secrétaire à la fournaise, Jack Foley est retourné chercher le jeune écervelé.

— C'est exact. Il avait également sauvé la vie d'un pompier novice.

Elle eut un sourire mi-ironique, mi-désabusé.

— Mais comme la secrétaire a accouché le lendemain, en prénommant son fils Jack, les journaux ont focalisé leur attention sur cet aspect attendrissant de l'affaire, et c'est le sauvetage de cette femme qui a valu à oncle Jack sa citation.

Son sourire se fit songeur.

— Mais bien sûr, vous devez vous souvenir plus particulièrement du fait qu'il avait sauvé ce pompier. On retient mieux encore les histoires qui concernent les nôtres, n'est-ce pas ?

— Dans le cas présent, certainement.

McQueen se leva avec une impatience soudaine.

— Vous avez dix minutes pour enfiler un jean, ou je pars sans vous, ma belle.

— Au volant de *ma* voiture ? Cela m'étonnerait, McQueen.

De nouveau, le naturel reprenait le dessus, remarqua Tamara avec un soupir. De nouveau, Stone McQueen se comportait en goujat.

Surprise de constater qu'elle commençait à s'y habituer, elle croisa les bras et le fixa d'un air à demi furibond.

— Et pouvez-vous me dire *où* vous avez l'intention d'aller ?

Stone lui rendit son regard, mais elle eut le temps d'apercevoir une lueur d'humour traverser ses yeux gris pâle.

— Renouer avec une vieille connaissance.

La voix de McQueen était soudain plus rauque.

— Rendre visite à votre oncle Jack. Le crétin qu'il a arraché à l'incendie de l'usine Corona, c'était moi, Tam.

7.

— Ce n'est par héroïsme que je vous ai sauvé la vie, McQueen, mais parce que, si vous vous en souvenez, vous me deviez dix dollars sur un pari. Je n'allais tout de même pas vous laisser filer sans régler vos dettes.

Tandis qu'ils pénétraient dans sa cuisine, Jack Foley posa une main bienveillante sur l'épaule de Stone.

— Comment ça va, fiston ? J'ai entendu dire que vous aviez glissé sur une pente sablonneuse, ces dernières années. C'est vrai ?

Oncle Jack n'avait jamais été homme à tourner autour du pot, se dit Tamara en étudiant avec une résignation attendrie celui qui avait été pour elle un père de substitution. La cinquantaine avait clairsemé l'épaisse toison de ses cheveux grisonnants, et un lacis de minuscules rides encerclait ses yeux bleus. Mais même s'il était plus petit que Stone de près d'une tête et, même si sa silhouette à la musculature jadis puissante s'était légèrement empâtée, une formidable énergie se dégageait encore de lui.

Avec une pointe de soulagement, elle constata que McQueen ne semblait pas s'offenser de sa question.

— Vous savez comment vont les choses, Jack.

Stone accompagna cette réponse d'un sourire partial.

— Vous avez dû en voir plus d'un s'aventurer sur ce genre de pente. Disons que je suis de ceux qui ont eu la chance de trouver le chemin du retour.

— Si on le laisse faire, ce boulot peut nous briser, convint Jack en se frottant la mâchoire. Et il y a des moments où, à moins d'être inhumain, on ne peut pas l'empêcher de nous atteindre. Ma jolie Tamara a découvert ça assez rapidement, n'est-ce pas, ma puce ?

— C'était ma deuxième intervention sur le terrain, oncle Jack, protesta vivement Tamara, et certains des anciens ont eux-mêmes avoué avoir été secoués par ce qu'ils avaient vu. Depuis, je me suis endurcie. Mais j'avoue avoir apprécié que tante Kate me fasse un lit dans ma chambre de jeune fille ce soir-là, et vienne me border comme lorsque j'avais cinq ans.

— Si elle avait eu son mot à dire, tu n'aurais jamais quitté la maison. C'est pourtant elle qui avait insisté pour te conserver la villa de tes parents, au lieu d'en placer l'argent de la vente en attendant ta majorité.

A ce souvenir, le regard bleu de Jack Foley s'assombrit.

— Katie disait que tu aurais un jour envie d'ouvrir tes ailes, et que si nous gardions cette maison à ton intention, tu ne t'envolerais pas trop loin. Oh, Tamara, elle me manque tant.

Il se tourna vers Stone.

— Ma femme..., précisa-t-il, laconique. Elle est morte l'année dernière. Mais assez parlé de moi — racontez-moi plutôt ce qui vous a fait vous rencontrer, tous les deux. Vous avez repris du service, McQueen ?

Tout en se dirigeant vers le réfrigérateur, Tamara entreprit de répondre à la question de son oncle :

— C'est une longue histoire, oncle Jack. Je vais me servir un verre de limonade — vous voulez quelque chose, vous autres ?

— Le soleil est sur le point de se coucher, alors apporte-moi une bière, veux-tu, chérie ? répondit Jack, avant de prendre un air soudain embarrassé. Non, ce n'est pas une bonne idée, rectifia-t-il d'un ton bourru. Sers-moi plutôt une limonade.

— Bon sang, Jack, grogna McQueen. Je peux vous voir boire une bière sans chercher à me précipiter dans le premier bar. Allez-y, ne vous gênez pas pour moi. Je prendrai une limonade, comme Tamara.

Il n'y avait aucune agressivité dans ses propos. Mais connaissant la brutalité naturelle d'oncle Jack et l'impatience maladive de Stone — sans le lien qui unissait les hommes dans ce métier, et celui qui rapprochait ces deux-là en particulier — Tamara douta qu'ils aient été capables de s'apprécier comme ils semblaient le faire aujourd'hui.

Tandis que Jack avalait au goulot une grande rasade de bière, et que Stone, après une gorgée timide de limonade et un haussement de sourcils satisfait, vidait son verre d'un trait, elle se lança dans le récit des événements des dernières vingt-quatre heures. Lorsqu'elle arriva à la partie de l'histoire concernant Joey, sa voix se fit hésitante.

— D'après le lieutenant Boyleston, les médecins sont très réservés quant à son état. Il semble hors de danger, mais ils refusent de nous donner de plus amples détails.

— Il va devoir subir plusieurs greffes faciales, mais ils ont réussi à sauver son œsophage, et il pourra reprendre progressivement le travail d'ici six mois, répondit McQueen avec concision. A l'avenir, avant de se précipiter dans la fournaise, peut-être pensera-t-il à mettre son appareil respiratoire.

Tamara le dévisagea avec stupeur.

— Où avez-vous obtenu des informations aussi précises ?

Sans la regarder, Stone inclina la tête et fit glisser dans sa bouche un morceau de glaçon resté au fond de son verre.

— Je suis jadis sorti avec une infirmière du service des grands brûlés, expliqua-t-il en croquant dans le fragment de glace. Lors de notre dernière entrevue, elle avait affirmé préférer aller en enfer plutôt que de passer une autre soirée avec moi. Je l'ai donc appelée ce matin en menaçant de me trouver devant sa porte le soir même, muni d'une invitation à dîner, si elle ne me renseignait pas sur l'état de santé de votre partenaire. Jamais je ne l'avais entendue parler aussi vite, et je crains que l'inquiétude n'ait gâché sa journée. Je ne me souviens pourtant pas avoir été si odieux, ajouta McQueen. Enfin, et malgré sa sottise, Monsieur « je fonce dans le tas sans masque à oxygène » va s'en sortir.

— Quant à cette jeune femme, conclut Tamara d'un ton sec, il faut croire qu'elle n'a pas pris le temps de découvrir l'aspect sensible de votre personnalité.

Elle tressaillit tandis qu'il broyait le reste du glaçon entre ses dents, puis son expression se radoucit :

— Merci Stone. Je… je m'inquiétais vraiment au sujet de Joey.

— Je sais.

Tout en fixant son attention sur son verre comme s'il espérait y trouver encore un peu de glace, Stone suggéra d'un ton détaché :

— Reprenez donc votre récit, Tam.

Elle lui décocha un regard exaspéré, mais obtempéra, poursuivant son histoire jusqu'au moment où Stone avait pénétré dans l'appartement de Claudia.

— Je vous laisse continuer, McQueen. Oncle Jack préférera entendre la suite de votre bouche.

— C'est exact, mon garçon, renchérit Jack, le regard étréci par l'intérêt. Le premier coup d'œil sur une scène de ce genre peut en dire long. Auriez-vous remarqué quoi que ce soit d'anormal ?

— Et comment ! répondit vivement Stone.

De manière brève et concise, il exposa à Jack ce qui avait d'abord motivé ses soupçons, puis il lui raconta sa découverte du matin. Lorsqu'il eût fini, luttant pour conserver son sang-froid, Tamara se tourna vers son oncle :

— Tu ne sais pas encore tout, oncle Jack. Il faut que je t'apprenne quelque chose. La femme trouvée morte asphyxiée dans cette chambre était Claudia — Claudia Anderson. Et l'enfant qu'a sauvé Stone est sa fille, Petra. Il semblerait que Claudia était revenue à Boston pour me demander de m'occuper de Petra après sa disparition. Elle… elle était en train de mourir d'un cancer. Comme sa maman.

Jack ne sembla pas avoir écouté la fin de son discours.

— Claudia ? Claudia serait venue à Boston pour *te* voir ?

Reportant son attention sur Stone, il secoua la tête.

— Tamara vous a raconté ce que son amie Claudia lui avait fait ?

Sans attendre la réponse de son interlocuteur, Jack poursuivit, d'un ton ulcéré :

— Un quart d'heure avant que ma petite fille ne marche vers l'autel, sa demoiselle d'honneur lui a fait passer une lettre du promis expliquant qu'il ne l'épousait plus. Je n'ai jamais pensé que Rick méritait une femme comme Tamara, mais *Claudia* — nous faire ça ! Une enfant que nous avions toujours considérée comme notre seconde fille.

Cette nouvelle avait anéanti Jack, se souvint Tamara avec un pincement au cœur. Stupéfaite et incrédule, elle lui avait fait passer la lettre de rupture au beau milieu de l'église. Seules les exhortations de tante Kate avaient alors pu l'empêcher d'aller rosser à mort celui qui avait abandonné sa Tamara adorée. Mais quand il avait compris que Rick s'était enfui avec Claudia, sa fureur s'était alors muée en incompréhension.

Jack leva les yeux vers elle.

— Ta tante craignait toujours que Claudia ait envie de revenir vers nous sans oser le faire. Elle s'inquiétait à son sujet.

Il se frotta le visage d'une main lasse.

— Moi non plus, je n'ai jamais réussi à oublier Claudia. Si elle était apparue à notre porte, je l'aurais sans doute vertement sermonnée, mais pour finir, je crois que je lui aurais ouvert les bras.

Il secoua la tête.

— Notre petite Claudia, morte. J'ai du mal à avaler ça.

— Moi aussi, oncle Jack.

Tamara tendit la main pour la poser sur la paume ouverte de son oncle.

— Et peut-être que Claudia a toujours eu envie de revenir, ainsi que le soupçonnait tante Kate. Pour finir, c'est ce qu'elle a fait.

Le regard sombre, Jack pressa ses doigts entre les siens.

— Sauf qu'il était trop tard. Elle aurait dû reprendre contact avec nous plus tôt.

Il fronça les sourcils.

— Quant à ce bâtard de Rick, ne me demande pas de lui pardonner. D'abord, pourquoi n'était-il auprès de sa femme et de sa fille ? Et pourquoi devrais-tu t'occuper de cette enfant à sa place ?

— Les autorités sont en train de vérifier ces informations, mais d'après Petra, Rick serait mort dans un accident de voiture avant sa naissance.

Tamara se mordit la lèvre.

— Je ne peux m'empêcher de penser que je devrais ressentir une forme de chagrin à son égard.

— Il t'a trompée et abandonnée, ma puce, protesta Jack d'un ton bourru. A présent, c'est sur cette petite fille que tu dois concentrer ton énergie. Et sur les soupçons de Stone concernant la mort de Claudia, ajouta-t-il d'un air pensif. Qu'ont dit les experts quand vous leur avez montré ce que vous aviez découvert, McQueen ?

— Je n'ai rien montré à personne, répondit Stone. Knopf et Trainor étant chargés de l'affaire, j'obtiendrais plus de résultat en balançant ma trouvaille à la mer qu'en la leur soumettant. Tamara et moi voulions justement vous demander de faire discrètement analyser ce morceau de métal pour nous.

Stone fronça les sourcils avant de suggérer :

— Mais peut-être répugnerez-vous à le faire. D'après ce que je sais, Bill et vous êtes plutôt en bons termes.

— Je joue effectivement au poker avec Bill une fois de temps en temps. Je dois dire que c'est un peu comme d'arracher ses bonbons à un enfant, commenta Jack en haussant les épaules avec amusement. Tommy Knopf est plus vif d'esprit, mais on ne sait jamais ce qu'il a dans le crâne. Il est encore plus ombrageux que vous.

Jack braqua son regard sur Stone.

— Je n'ai pas approuvé la manière dont vous aviez étalé en public le linge sale de nos services durant l'investigation du Dazzlers, fiston. Mais je suppose que vous n'aviez pas le choix. Et si c'est la seule à avoir défrayé la chronique, cette enquête n'a pas été leur unique bévue, McQueen.

— C'est oui, alors ?

Un bref sourire éclaira le visage de Stone.

— Vous enverrez ma trouvaille au laboratoire ? De manière officieuse, bien sûr ?

Jack hocha la tête.

— Dave Leung me doit un ou deux services. Il saura tenir sa langue, si je le lui demande.

— J'ai laissé la pochette dans la voiture, je vais la chercher.

Repoussant sa chaise avec impatience, Stone se leva. Presque arrivé à la porte, il se retourna vers Jack :

— Merci, Jack. Les Sox de Boston jouent contre New York la semaine prochaine. Deux contre un, cela vous va ?

Le regard de Jack s'illumina d'une lueur malicieuse.

— Que diriez-vous de *trois* contre un ? Le lanceur des Sox semble avoir dévoré un lion en ce moment.

— Tu n'as pas honte, oncle Jack ? Tu n'as vraiment aucun scrupule, ironisa Tamara.

Comme elle entendait la porte d'entrée se refermer sur Stone, son sourire s'évanouit sur ses lèvres.

— Avons-nous raison de chercher à dissimuler ainsi des indices, oncle Jack ? C'est de la rétention de preuves. Je ne veux pas que tu fasses quoi que ce soit susceptible de t'attirer des ennuis.

— Je ne risque rien, ma puce. Je suis déjà à la retraite.

Il posa une main sur les siennes.

— McQueen non plus n'a rien à perdre. Mais toi, promets-moi de faire profil bas, Tamara. Trainor et Knopf ne sont pas des lumières, mais ils seraient en droit d'exiger ta démission s'ils découvraient que tu es impliquée dans une enquête officieuse. Et associée, qui plus est, à ce McQueen. J'ai toujours bien aimé ce garçon, mais il s'est fait plus d'un ennemi au sein du service.

— Vraiment ?

Tamara lui lança un regard sarcastique et poussa un soupir.

— J'avoue avoir moi aussi envie de l'étrangler, la plupart du temps. Mais il m'a sauvé la vie, et a risqué la sienne pour arracher Petra aux flammes. De plus, j'ai vraiment l'impression qu'il a raison en soutenant que cet incendie est le fruit d'un acte délibéré. Sinon, comment ce chien aurait-il détecté la présence d'un produit inflammable ?

— La laque à cheveux est un produit inflammable. Comme l'alcool à 90°, ou les détachants, précisa fort judicieusement oncle Jack. N'importe laquelle de ces odeurs a pu faire réagir ce chien.

Il se frotta la mâchoire d'un air pensif.

— Mais dès qu'il s'agit d'incendies criminels, McQueen a toujours eu un sixième sens. A propos, ma puce, y a-t-il quelque chose que je devrais savoir, vous concernant, tous les deux ?

Avec contrariété, Tamara se sentit rougir.

— En ce qui concerne Stone McQueen, oncle Jack, je partage entièrement le point de vue de l'infirmière dont il faisait mention tout à l'heure. A la différence que moi, je ne suis jamais sortie avec lui. Nous…

Elle prit conscience trop tard du piège dans lequel elle venait de se fourvoyer.

— Nous vivons simplement sous le même toit pour quelque temps, acheva-t-elle d'une voix étouffée.

— Pardon ?

Un grondement menaçant s'était insinué sous l'inflexion bourrue de Jack. Tamara s'empressa d'ajouter :

— Il habite provisoirement à la maison — et quoique tu puisses penser, oublie-le tout de suite. C'est chacun sa chambre, précisa-t-elle d'un ton âpre. De plus, cela fait un moment que je suis majeure et vaccinée, oncle Jack.

Il braqua sur elle un regard bleu et brillant.

— Je sais que tu es devenue une femme, ma puce. Une femme dont ta tante et moi avons toujours été très fiers. Et je n'ai en effet aucun droit de m'immiscer dans ta vie privée. Mais pense à Petra. Avant de la confier à ta garde, les services sociaux ne vont-ils pas vouloir s'assurer que tu aies un mode de vie convenable ?

— Si, certainement. Mais ils ne vont pas le faire avant au moins une ou deux semaines. D'ici là, McQueen devrait avoir trouvé un logement.

Tamara passa une main nerveuse dans ses cheveux.

— Et même sans cela, rien ne prouve qu'ils me laisseront l'adopter.

— A cause de ton métier ?

Elle vit son oncle froncer les sourcils.

— La plupart des pompiers ont une famille. Ils ne peuvent pas te pénaliser à cause de ta profession.

— Sans doute pas. Il faut simplement que je déniche une femme de confiance pour garder Petra les nuits où je suis de service. Le lieutenant Boyleston m'a déjà accordé des congés afin de m'en occuper.

Elle glissa un sourire en biais à Jack.

— Non, dit-elle, le problème vient de Petra. Je ne pense pas qu'elle veuille de *moi* comme mère de substitution.

— Aurais-tu oublié ta propre attitude, après que tante Kate et moi t'ayons accueillie ici, Tamara ?

Le ton d'oncle Jack était mi-moqueur mi-perplexe.

— J'avoue que oui, admit Tamara. Je n'ai qu'un souvenir très vague des premières semaines que j'ai passées ici.

Elle entendit Stone rouvrir la porte d'entrée.

— Pourquoi me demandes-tu ça ?

— Parce que tu te comportais comme j'imagine que le fait cette petite fille. Tu cherchais toujours à t'enfuir.

Au moment où Stone entrait dans la cuisine, Jack se leva, un sourire dépité aux lèvres.

— Katie ne savait plus à quel saint se vouer pour te faire comprendre que cette maison était ton nouveau foyer. Tu n'as commencé à te calmer que lorsque les cauchemars se sont espacés. C'est sans doute ce par quoi passe en ce moment cette enfant. Laisse-lui le temps de s'accoutumer à toi. Elle finira par se radoucir.

— Cette histoire de chiot semble en tout cas avoir eu un effet positif, affirma Stone tout en extrayant un flacon hermétique du sachet en papier qu'il tenait à la main.

— Dites à Dave Leung que je veux une analyse complète du produit détecté, Jack. Pas un test hâtif qui pourrait nous faire passer à côté d'un indice essentiel, d'accord ?

— Vous voulez que je lui enseigne son métier ?

Jack haussa les épaules sous son gilet de laine.

— Reconnaître les qualités des autres n'a jamais été votre fort, fiston. Mais Leung est un perfectionniste. S'il y a quoi que ce soit à découvrir, il y parviendra sans que je lui fasse un dessin.

Tout en les guidant vers la porte, Jack Foley demanda :

— Mais, à propos, à quel chiot faisiez-vous allusion ?

A ces mots, Tamara s'immobilisa brusquement.

— Oui, c'est vrai. Qu'est-ce que c'est que cette histoire de chiot ? Et quel rapport cela a-t-il avec Petra ?

Elle s'interrompit brutalement avant de s'écrier :

— Oh, McQueen, vous n'avez pas fait ça !

— Fait quoi ?

Les yeux agrandis par l'innocence, Stone soutint sans ciller son regard courroucé.

— Enfin, s'exclama-t-il, je n'ai jamais promis à Petra que vous lui achèteriez un chien. Mais quand je l'ai ramenée dans son lit d'hôpital la nuit dernière, elle a affirmé préférer aller à l'orphelinat que de vivre avec vous. Le seul argument qui me soit venu à l'esprit était qu'ils ne la laisseraient pas avoir de chien. Elle m'a alors demandé si *vous* l'y autoriseriez, et j'ai simplement répliqué que rien ne l'empêchait de vous poser la question.

— Si bien que quand elle le fera, et que je répondrai non, je passerai encore pour la méchante sorcière. Bravo, Stone.

Le dépassant avec raideur, Tamara franchit le seuil de la porte et marcha jusqu'à sa voiture. C'était lui qui avait les clés, se souvint-elle en tentant en vain d'ouvrir la portière du conducteur. Déjà, il avait déverrouillé celle du passager à son intention. Ce n'était pas pour épargner son épaule douloureuse, qu'il prenait le volant, se dit-elle. Stone McQueen était simplement le genre d'hommes à s'octroyer le pouvoir dès qu'une femme était assez stupide pour l'y autoriser. Elle songea à lui arracher le trousseau des mains, mais préféra conserver son énergie pour une prochaine confrontation.

Car avec lui, il y en aurait toujours une, comprit Tamara avec résignation. Un chiot, gronda-t-elle en son for intérieur, et puis quoi encore ?

— Vous n'êtes pas obligée de prendre un berger danois, fit remarquer Stone d'un ton maussade. Enfin, Tam, *tous* les gosses ont envie d'un chien. On pourrait juste aller visiter le chenil avec Petra cet après-midi, et jeter un simple coup d'œil.

Sur le point de monter en voiture, Tamara le dévisagea d'un air circonspect.

— Vous avez eu un chien, vous, quand vous étiez enfant ?

— Non, avoua Stone. J'ai trop souvent changé de famille d'accueil pour cela. Bon, vous montez, ou vous voulez qu'on reste là toute la journée ?

Comme pour ponctuer sa phrase, il fit jouer sur ses gonds la portière qu'il retenait à son intention.

— Arrêtez ça, McQueen, c'est agaçant. On peut toujours aller visiter ce chenil, d'accord ? Ce n'est peut-être pas une mauvaise idée, après tout, sauf que je ne sais pas comment je vais faire avec Pangor.

— Il s'y habituera, vous verrez.

Comme elle le foudroyait du regard, il s'empressa de préciser :

— *Si* vous vous décidez à prendre un chien, bien sûr.

Sa voix, contrairement à d'habitude, manquait d'assurance.

— Je vous appellerai dès que Dave m'aura fourni une réponse, promit oncle Jack en s'immobilisant devant son propre véhicule, garé juste devant le leur, le sachet en papier calé sous son bras. Je ne serais pas surpris que tu reçoives la visite de Bill ou de Tommy, Tamara, surtout si quelqu'un a aperçu Stone roder autour des lieux de l'incendie. Prends garde à toi. Ces types pourraient t'attirer de sérieux ennuis.

— Tu t'inquiètes toujours trop, oncle Jack.

Tamara lui sourit affectueusement.

— Je suis une grande fille.

Elle vit le regard de son oncle se plisser en direction de l'homme qui l'accompagnait.

— Vous pensez aussi que je m'inquiète trop, fiston ?

Une pointe de défi résonnait dans sa voix.

— Je l'espère, Jack, répondit Stone d'un ton ambigu.

Tamara lui jeta un regard surpris, qu'il évita.

— J'en saurai plus, dit-il, quand Dave Leung m'indiquera ce qu'il a trouvé sur l'échantillon que je vous ai remis.

Elle les dévisagea tour à tour avec perplexité. Puis, la lumière se faisant soudain dans son esprit, elle s'exclama :

— Vous savez *déjà* ce qu'il va découvrir, n'est-ce pas ? Vous le savez *tous les deux,* et vous me l'avez caché.

Percevant l'âpreté qui perçait dans sa voix, Tamara s'efforça de contenir la colère qu'elle sentait monter en elle.

— Ça ne marche pas, les gars. Si vous savez ce que Leung est censé découvrir, vous devez me le dire.

— Ecoute, ma puce, je ne veux pas que tu te fasses du souci…, commença oncle Jack, mais McQueen l'interrompit.

— Bon sang, Jack, elle a le droit de savoir… plus, peut-être, qu'aucun de nous. Vous êtes à la retraite et moi, je suis déjà hors circuit. Tam, elle, continue de mettre sa vie en danger en s'attaquant quotidiennement au feu. Je l'ai vue en action, et son équipement n'était certainement pas fait de coton hydrophile.

Braquant sur Stone un regard légèrement apaisé, Tamara répéta sa question, d'un ton plus calme.

— Que va découvrir Leung ?

— J'ignore quoi exactement, répondit Stone.

Elle vit ses épaules se soulever sous le coton kaki de son T-shirt.

— Mais je crois savoir *qui.*

Cette fois, au lieu de l'éviter, il plongea son regard dans le sien et Tamara sentit un frisson glacé la saisir. Elle se trouvait tout à coup face à l'homme qu'elle avait surpris dans cette chambre miteuse. Il la regardait, mais il ne la voyait pas. Il voyait quelque chose appartenant à son passé, quelque chose d'invisible, qui tapi dans l'ombre, l'attendait. Il voyait un…

— Un fantôme, expliqua McQueen d'un ton sec. Un salaud qui est de retour, et qui a recommencé à tuer.

8.

— Le règlement exige que les enfants soient rentrés à l'heure, Mlle King. Même si le séjour de Petra dans notre centre doit être bref, je tiens à faire régner ici un minimum de discipline. Viens, petite, nous nous apprêtions à passer à table. Macaroni et tomates bouillies — délicieux, non ?

Cette description évoqua plutôt aux yeux de Stone une pâtée pour chien. Et la femme qui se tenait devant eux était une folle dangereuse, décida-t-il. Même si les autorités compétentes se fiaient assez à elle pour avoir enfermé Petra, dès sa sortie de l'hôpital, dans le foyer pour enfants qu'elle dirigeait. Du coin de l'œil, il vit les joues de Tamara virer au rouge. Un ton cramoisi, qui s'accordait mal avec la couleur de ses cheveux, comme avec le vert pistache qui — ainsi qu'il venait seulement de le remarquer — maculait sa bouche.

La journée avait été rude. Cela faisait plus de vingt-quatre heures qu'ils avaient remis l'échantillon à Leung, et celui-ci n'avait toujours communiqué aucun résultat à Jack. Petra avait insisté pour les accompagner chez l'avocat de sa mère, mais y avait fait une telle scène, qu'il avait dû l'entraîner de force hors du bureau. Pour tout arranger, le chenil était fermé. C'était apparemment jour de désinfection… ou de dératisation.

Allait-on en plus leur faire un procès pour avoir raccompagné Petra *cinq minutes* après l'horaire autorisé ? se demanda Stone avec agacement. Il s'apprêtait à poser cette question à la directrice quand Petra le prit de vitesse.

— Je n'ai pas faim, affirma la petite fille avec froideur. J'ai déjà mangé une glace à la pistache.

Cette dernière précision était futile, observa Stone — au vu du barbouillage qui souillait, comme celui de Tamara, le tour de sa bouche !

— A la pistache ? s'exclama Mme Hall.

Elle s'appelait Mary Hall, et leur avait suggéré de s'adresser à elle par son prénom, mais Stone aurait préféré être sourd-muet plutôt que de le faire.

— Une glace à la pistache, répéta-t-elle. Doux Jésus, n'avez-vous pas songé que cette enfant pourrait être allergique aux pistaches ?

L'air accablé, Tamara répliqua :

— Je le lui ai demandé avant, Mary. Je ne suis pas experte en puériculture, mais je sais tout de même que les enfants peuvent souffrir de certaines allergies. Offrir une glace à Petra si près du dîner n'était peut-être pas très sérieux, mais voyez : elle n'est pas malade.

Elle eut un sourire conciliant et Stone se demanda comment elle pouvait faire preuve d'un tel sang-froid pour se retenir d'envoyer promener Mary Hall. Ce qu'à sa place, il n'aurait pas manqué de faire.

— Petra retrouvera son appétit d'ici une heure ou deux, insista Tamara.

— Là n'est pas la question.

Cela suffisait, décida Stone, le ton paternaliste de Mme Hall achevant de l'exaspérer. Ayant compris que Tamara trouvait ses manières un peu trop brutales, il s'était promis de se contenir afin de ménager sa sensibilité. Mais il n'avait pas non plus fait vœu de sainteté.

— Vous n'êtes pas mère de famille, martelait la directrice, vous ignorez l'importance pour ces petits de comprendre le plus tôt possible les règles inhérentes à un foyer. De plus, il est injuste vis-à-vis des autres enfants sous ma garde de conserver le repas de ce petit canard au chaud en attendant…

— D'abord, Petra n'est pas un canard, intervint Stone, et…

Il allait poursuivre sa diatribe lorsque le regard impérieux de Tamara le força à s'interrompre. *Quoi ?* se demanda-t-il. N'avait-il même plus le droit d'ouvrir la bouche ?

— C'est vrai, je ne suis pas un canard, nom d'une pipe.

Les lèvres de Petra se pincèrent tandis que ses frêles épaules se redressaient avec pugnacité.

— Et d'abord, je suis allergique aux tomates bouillies.

— Hé, surveille ton langage, gronda Stone. Ecoute, on viendra te chercher demain à la même heure, d'accord ? Et si ce bon sang de…

Voyant le désarroi fermer les yeux de Tamara, Stone se corrigea en cours de route :

— … Si le refuge est encore fermé demain, nous irons chercher un chiot dans une animalerie. Cela te va ?

— Non-on ! Je veux un chien qui vient d'un refuge, Stone !

C'était la première fois que Petra s'opposait à lui…

Avec une pointe de culpabilité, Stone se dit qu'il était lui-même devenu un peu trop rude, ces dernières années. Se reprendre tant dans ses manières, se dit-il, qu'au niveau de son vocabulaire, pouvait s'avérer une bonne idée — tout du moins tant qu'il fréquenterait un petit singe dont les oreilles enregistraient ses moindres dérapages pour les reprendre aussitôt à son compte.

— Petra a raison, McQueen, affirma Tamara en évitant son regard. Il vaut mieux prendre un chien dans un refuge. Désinfecter quelques fichues — quelques cages, s'empressa-t-elle de rectifier ne devrait pas prendre beaucoup de temps.

— Petra n'est pas autorisée à amener un chien ici, affirma alors la directrice.

Elle étala ses mains potelées sur son large tablier.

— Et je vais devoir mettre les choses au clair avec le Service de l'Enfance avant qu'elle n'ait droit à une autre sortie. Chaque fois qu'elle manquera un cours, Petra prendra un retard scolaire considérable. Je vous suggère de m'appeler demain matin à ce sujet.

— Mais enfin, on m'avait dit...

Tamara s'interrompit avant de convenir avec un sourire :

— Très bien, je vous appellerai demain.

Puis se tournant vers Petra :

— Petra, si tu veux me parler, ou que tu as besoin de quoi que ce soit, tu as mon numéro, d'accord ?

— Je dois l'avoir quelque part, marmonna l'enfant en enfouissant ses mains derrière son dos, avant d'enfoncer le bout de sa basket dans la terre qui bordait l'allée jusqu'à en déloger une grosse motte recouverte d'herbe. Serré dans sa petite main poisseuse, Stone aperçut le morceau de papier sur lequel Tamara avait inscrit son numéro, mais se garda de le faire remarquer.

Tamara fit un pas vers la petite fille.

— N'hésite pas à m'appeler, insista-t-elle, s'adressant au dos raide de l'enfant qui déjà, s'était détournée.

— On verra.

Devant l'indifférence ostentatoire de Petra, Stone plissa les yeux avec contrariété. Lorsqu'ils lui avaient rendu visite, la veille, dans le service de pédiatrie de l'hôpital, le Dr Weller avait exprimé le souhait qu'il continue à lui rendre visite. Le psychologue avait parlé « d'obsession sécuritaire, » et de « lien traumatique. » En termes simples, Petra semblait avoir décidé qu'il était la seule personne en qui elle pouvait placer sa confiance.

« Tu as choisi un sacré raté pour héros, bout de chou », se dit Stone tandis que Tamara et lui regagnaient en silence leur véhicule. « Mais il va falloir qu'on ait une petite discussion tous les deux, concernant ton attitude vis-à-vis de Tamara. Tu dois comprendre qu'elle n'est pas ton ennemie — en dépit de ce que tu as pu te mettre en tête en surprenant notre conversation de l'autre soir. »

— Ça ne marchera jamais, McQueen.

Tamara attacha sa ceinture d'un geste sec tandis qu'il démarrait le véhicule.

— Même si c'était la volonté de Claudia, Petra n'acceptera jamais de rester avec moi. Et à vrai dire, je la comprends.

Elle laissa aller sa tête contre le dossier de son siège et ferma les yeux.

— Je ne connais *rien* à l'éducation des enfants. A quoi ai-je songé en lui proposant une glace, une heure avant le dîner ?

— A arrondir les angles, après ce qui s'était passé chez l'avocat, répondit Stone avec fermeté. La corruption et le chantage sont à mon sens d'excellentes techniques éducatives. J'avais vraiment envie de dire à cette Mary Hall où elle pouvait mettre ses Bon Dieu de tomates bouillies. J'espère que vous avez remarqué que je m'en suis abstenu.

— Vous avez fait preuve d'un maintien remarquable, Stone. Merci d'avoir tenu votre langue de vipère.

Elle rouvrit les yeux.

— Pardon, je ne voulais pas dire ça. A propos de Mme Hall, vous avez de la glace sur le menton. J'ai failli m'évanouir quand je l'ai remarqué.

Tamara ouvrit la boîte à gants dont elle sortit un petit sachet carré qu'elle déchira, avant de lui tendre ce qui ressemblait à un Kleenex humide.

— Voilà un Kleenex. Après mon service, je suis parfois trop tendue pour rentrer à la maison. Alors je conduis au hasard et je me gare quelque part un moment. Ces trucs sont très bien pour un nettoyage instantané.

— Ouvrez la bouche, ordonna Stone. Vous en avez partout, vous aussi.

— Moi aussi ! s'exclama Tamara en portant sa main à son menton, qu'il releva d'autorité afin de l'essuyer.

— Qu'a pu penser de nous cette Mme Hall ? Enfin, lâchez-moi, McQueen, gronda-t-elle. Je peux le faire toute seule.

— Comme dirait Petra, *je me fiche comme de ma première chaussette* de ce que pense Mme Hall, affirma Stone. Bon Dieu, arrêtez de me tirer le bras comme ça, j'ai failli pousser le levier de vitesse du coude. Je vous rappelle que nous sommes dans une voiture automatique.

— Je crois que j'ai fini par comprendre votre problème, grinça Tamara tout en tentant d'écarter la main de Stone de sa bouche.

Il leva un sourcil surpris.

— Ah bon ?

S'il n'avait pas soudain décidé de se transformer en Lancelot, la veille au soir, cette bouche, se dit-il, aurait pu explorer chaque parcelle de son corps. Et en dépit de sa sinistre prédiction du moment, il était prêt à parier que Tamara ne l'aurait *pas* jeté hors du lit au matin, tant il aurait su faire chavirer son univers. Bon sang, sans cette stupide crise de conscience, peut-être seraient-ils tous deux encore emmêlés dans ses draps.

Au lieu de cela, il était assis dans une voiture arrêtée à un feu rouge, à s'échauffer en vain — sans aucun moyen de calmer son ardeur.

Car il ne s'agissait pas uniquement de sa bouche. Ni du souvenir de ses seins à la blancheur parfaite — dont il avait eu un aperçu trop bref. *Tout* en elle, l'émouvait, admit Stone en effaçant une dernière trace vert pistache de la lèvre inférieure de Tamara. Il se demanda ce qu'elle ferait, s'il décidait soudain d'achever cette toilette succincte d'un coup de langue.

De manière inconsciente, il se rapprocha d'elle de quelques centimètres et sa main frôla ses cheveux roux. La façon dont elle persistait à les ramener dans cette affreuse natte était honteuse. Car détachée, ainsi qu'il l'avait vue une fois, sa chevelure mêlée d'or et de cuivre ondoyait sur ses épaules en une masse si étonnamment soyeuse que cette image était restée gravée à tout jamais dans sa mémoire.

— Le problème, poursuivait Tamara, est que vous êtes l'archétype même du mâle dominant… Tenteriez-vous de m'arracher complètement les lèvres, McQueen ?

Lâchant brusquement son menton, Stone lui tendit le Kleenex souillé qu'elle jeta dans une minuscule poubelle à ses pieds. Le feu était toujours au rouge.

— Vous êtes comme un de ces prototypes automobiles qu'on aurait laissé à l'état brut.

Elle jeta un regard dans sa direction.

— C'est ce qui vous a poussé à vous lancer au secours de Petra sans hésiter. Mais c'est aussi la raison pour laquelle vous rejetteriez la faute sur moi si, après que vous ayez poussé ce levier de vitesse du coude, la voiture avait démarré et embouti celle qui est devant nous. Vous êtes si *viril* que ce n'est même pas…

— Une fois votre service fini, vous cherchez un endroit pour pleurer en toute discrétion, c'est ça ?

Le feu passa enfin au vert et Stone accéléra un peu plus violemment qu'il ne l'aurait voulu, avant d'ajouter :

— Et puis après avoir utilisé vos petits Kleenex, vous rentrez chez vous comme si de rien n'était.

Du coin de l'œil, il vit Tamara se raidir.

— Ce que je fais de ma vie n'est pas votre affaire, dit-elle.

Elle prit une brusque inspiration.

— En fait, vous n'avez rien d'un prototype automobile. Vous seriez plutôt un bulldozer de démolition. On a tous tendance à vouloir avancer, mais vous, vous ne jetez même pas un regard en arrière pour voir si vous n'avez pas heurté quelqu'un sur votre passage.

Il y avait un parking désert, juste devant eux. Stone y engagea vivement son véhicule, coupa le moteur et se tourna vers elle :

— Comment pouvez-vous dire que je vous ai heurtée, alors que vous ne ressentez même pas les coups ? Vous êtes aussi blindée qu'un tank, et personne n'a jamais pu traverser l'épaisseur de votre armure.

— Je n'ai même pas envie de savoir à quoi rime cette conversation, McQueen.

Tamara le dévisagea avec froideur avant d'ajouter :

— Nous nous trouvons réunis de force, vous et moi, l'espace de quelques jours. Mais dès que nous aurons découvert les causes réelles de cet incendie, notre relation prendra fin. Si on peut qualifier ce que nous partageons de relation, fit-elle remarquer. Vous vous permettez de me lancer vos reproches à la tête. Vous m'accusez d'être fermée aux autres. Où voulez-vous en venir, à la fin ?

— Au fait, par exemple, que depuis que nous avons quitté le cabinet de l'avocat, vous serrez désespérément ce paquet de lettres dans votre main, sans leur avoir pour autant accordé un seul regard. Elles vous ont été remises par Hendricks au moment où Petra et moi sommes sortis de son bureau, n'est-ce pas ? Mais je parie que si leur volume avait été moins considérable, vous les auriez enfouies au fond de votre sac, sans en faire mention à quiconque.

— Qu'y aurait-il à mentionner ? s'exclama Tamara.

Une profonde irritation perçait dans sa voix.

— Sinon que Claudia m'a écrit environ tous les deux mois depuis le jour où elle s'est enfuie avec Rick, ainsi que l'affirmait Petra. Mais qu'au lieu de m'adresser directement ces courriers, elle les a fait parvenir à son avocat pour qu'il les conserve, avec l'instruction de me contacter au cas où elle décéderait. A quoi vous attendiez-vous, McQueen — à ce que je les ouvre et me mette à sangloter en les lisant ?

Après un coup d'œil au paquet d'enveloppes qui se trouvait sur ses genoux, Tamara le jeta avec impatience sur le siège arrière de la voiture. Puis, tournant vers lui un visage dénué d'émotion :

— Je regrette que Claudia soit morte en de telles circonstances. Et bien que j'aie peu d'espoir à ce sujet, je lirai ces lettres — dans l'idée d'y trouver une piste indiquant pourquoi on l'a assassinée. Mais Claudia fait partie de mon passé, Stone. Or l'histoire n'a jamais été ma discipline favorite.

Elle replaça une mèche de cheveux rebelle derrière son oreille avant de conclure :

— Ainsi que vous le disiez vous-même l'autre jour, cet échange m'a ravie. On peut y aller, maintenant ?

— C'est intolérable pour vous, n'est-ce pas, Tamara ?

Une colère qu'il n'arrivait pas à contrôler résonnait dans la voix de Stone. Avec un regard d'indifférence à son adresse, Tamara commença à se détourner, mais il l'empoigna vivement par les épaules.

— Le fait qu'un être humain soit le témoin de votre vulnérabilité vous est insupportable. Bon sang, je suis sûr que vous vous reprochez encore d'avoir laissé une larme vous échapper, en apprenant que votre meilleure amie était morte. Vous ne pleurez jamais devant personne, c'est cela ?

A mesure qu'il parlait, la fureur qu'il voyait couver dans le regard de Tamara se faisait palpable. Il était en train de s'en faire une ennemie, comprit Stone. Grâce à son don infaillible pour la diplomatie, il la sentait se replier un peu plus sur elle-même à chaque syllabe. Mais quel autre moyen avait-il d'atteindre son cœur ? Incapable de s'arrêter, il fonça tête baissée.

— Hier, chez votre oncle, vous sembliez honteuse d'avoir été bouleversée à vos débuts par un incendie qui avait impressionné les professionnels les plus coriaces. Et l'autre soir à l'hôpital, après avoir laissé parler votre cœur une demi-seconde, vous vous êtes aussitôt refermée comme une huître. A présent, vous cherchez à vous persuader que les lettres de Claudia ne signifient rien à vos yeux.

Il secoua la tête.

— Vous êtes une menteuse, Tamara. Parce qu'en fait, vous êtes loin d'être indifférente. Ni à ce dont vous êtes le témoin durant vos heures de service ni au fait que Claudia n'ait pas eu le courage de vous adresser ces lettres. Ni enfin, à la pensée que Petra ait affirmé devant Hendricks ne pas vouloir vivre avec vous. Mais vous préféreriez mourir plutôt que de le reconnaître. Et si quelqu'un a le malheur d'apercevoir en vous la vraie Tamara, vous vous assurez que cette personne ne s'approchera plus jamais d'assez près pour recommencer.

— Il est regrettable que vous ayez choisi le métier d'expert, McQueen.

Stone sentait la rigidité des épaules de Tamara sous ses mains.

— Parce que la psychologie de comptoir est à l'évidence votre fort. Si vous vous en étiez rendu compte plus tôt, peut-être ne seriez-vous pas tombé aussi bas dans la déchéance. Peut-être ne seriez-vous pas devenu une véritable bombe humaine. Et peut-être même que Donna Burke serait encore en vie.

La violence de ces propos atteignit Stone comme un coup à l'estomac. Laissant retomber ses mains des épaules de Tamara, il eut un instant du mal à recouvrer son souffle.

— Je suis désolée !

Aussi blanche qu'un linge, elle le dévisageait avec une horreur coupable.

— Ce que je viens de dire est impardonnable, et stupide. Et… faux. J'ai juste énoncé la chose la plus cruelle qui me venait à l'esprit.

Stone fut surpris d'entendre que sa voix fonctionnait :

— Je… je l'avais mérité.

Il tâtonna à la recherche de la poignée de la portière.

— Ecoutez, comme je voulais demander quelque chose à Chandra, je lui ai donné rendez-vous dans un café qui se trouve plus bas dans cette rue, le Red Spot. Vous devez le connaître, c'est un des repaires favoris de vos collègues.

Il tenta de sourire.

— Si j'obtiens une information intéressante, je vous la ferai passer par l'intermédiaire de Jack, d'accord ?

Cessant d'appuyer en vain sur la poignée, Stone la releva et sentit avec soulagement la portière s'ouvrir. Il fallait qu'il sorte de cette voiture, se dit-il. Il avait tout gâché, et n'avait plus qu'à s'en aller.

— Vous partez, c'est cela ?

Il commençait à s'extraire du véhicule quand la main de Tamara empoigna son bras, l'attirant à l'intérieur de l'habitacle.

— Stone, vous êtes fauché et vous n'avez nulle part où dormir. Je… je ne veux pas vous imaginer dans la rue.

Avant qu'elle n'ait achevé sa phrase, la voix de Tamara se brisa, sans qu'il comprenne pourquoi.

— Je ne suis pas fauché, protesta-t-il.

Il fronça les sourcils.

— Où avez-vous pêché cette idée ?

— Quand je vous ai rencontré, vous habitiez un genre d'asile de nuit. Vous n'avez pas besoin de prétendre le contraire devant moi, Stone.

— Si j'ai vécu dans de pareils endroits, expliqua-t-il d'un ton sec, c'est afin d'éviter de rencontrer de vieilles connaissances. Mais je travaille depuis l'âge de seize ans, et j'ai toujours placé une bonne partie de mon salaire. Quand on grandit dans la rue, on ménage ses arrières, ma belle.

Il vit les lèvres de Tamara former un petit *o* surpris. Sa bouche ressemblait ainsi à un nœud en velours rose. Elle devait également en avoir la douceur. Bon, se dit Stone, il était temps de repousser ces pensées stupides de son esprit.

Par chance, il était très doué pour écarter tout ce qui le dérangeait de son chemin.

— Comme vous le faisiez si justement remarquer, nous avons été réunis de force, dit-il. Et avouez que la plupart du temps, je vous ai caressée dans le mauvais sens du poil.

— La plupart du temps, vous m'avez rendue folle, convint Tamara.

La voix toujours hésitante, et sa bouche ressemblant toujours à du velours, elle soutint son regard sans ciller.

— Bon sang, si j'étais un gentleman — la seule chose dont vous ne m'ayez pas accusé — je ne le dirais pas, mais vous aussi, vous m'avez rendu fou.

Il lui sourit avec dureté.

— Nous voilà quittes, ma belle.

Cette fois, lorsqu'il ouvrit la porte, elle ne le retint pas. Stone embrassa du regard les fines boucles cuivrées qui entouraient son visage, la courbe pleine de sa lèvre supérieure, les traces argentées qui roulaient le long de ses joues.

« C'est le destin, vieux, se dit-il. Tu n'as pas tiré la bonne carte. Tu le savais dès le début. Alors maintenant, dis au revoir à la dame, McQueen. »

Mais il se savait également incapable de prononcer un mot de plus. En silence donc, il sortit du véhicule et s'éloigna aussi vite que possible.

Il avait parcouru un demi-pâté de maisons lorsqu'il s'immobilisa brusquement.

— Bon sang, McQueen, elle pleurait, fit-il remarquer à voix haute. L'inébranlable Tamara King était en train de pleurer — et toi, tu l'as plantée là, espèce de brute !

En l'espace de quelques secondes, il avait regagné la voiture, dont il ouvrait brutalement la portière. Tamara n'avait pas bougé du siège passager où il l'avait laissée. Sur ses genoux, Stone vit une pile de Kleenex froissés.

Ses yeux bleus inondés de larmes rencontrèrent son regard.

— Oui, vous me rendez folle, McQueen.

S'il n'y avait eu ce hoquet, sa voix aurait fait une bonne imitation de ses propres grognements habituels. Rejetant un Kleenex, elle en sortit un autre de sa pochette.

— Mais, je n'ai pas dit que cela me déplaisait.

— Vous qui ne pleurez jamais, observa Stone.

C'était la seule phrase qui lui soit venue à l'esprit.

— Pas quand tout le monde me regarde, en effet. Est-ce un mal ?

D'une main furieuse, Tamara essuya un nouveau torrent de larmes tandis qu'il restait là, impuissant, avec l'impression que son cœur avait gonflé de dix fois sa taille.

Objectivement, elle n'était pas jolie quand elle pleurait. Le bout de son nez était rose vif. L'ensemble de son visage, enflé, rouge, et brillant. Elle ressemblait soudain à Petra, après une de ces violentes colères enfantines, et ne paraissait guère plus âgée.

Pourtant, il la trouvait encore belle. Mais cela, c'était parce qu'il était amoureux d'elle. Il l'avait trouvée belle, avec un casque enfoncé sur la tête, et le visage maculé de suie. Ou dans cet affreux pyjama dépareillé.

Il l'avait trouvée si belle, si belle, la nuit où…

— Stone ?

Elle avait levé son regard vers lui, et soudain, il comprit qu'il voyait enfin la vraie Tamara King sous son masque. Lorsqu'elle parla, sa voix n'était plus qu'un murmure rauque :

— Oh, Stone. Je vous ai fait du mal.

Stone perçut une telle détresse dans sa voix qu'il ne pensa qu'à une chose : la faire disparaître au plus vite. Il secoua la tête, et remonta dans la voiture.

— Non, mon ange…

Mais avant qu'il n'ait le temps d'achever sa phrase, il sentit une grosse main se poser sur son épaule, et une voix familière grinça à son oreille :

— Tu vois, Bill, il n'a rien perdu de ses dons. C'est simple, ou les femmes le giflent, ou bien elles versent des torrents de larmes. Bon sang, comment faites-vous, McQueen ?

9.

Stone se tourna lentement vers les deux hommes penchés sur sa portière. Il considéra la lourde main qui venait de se poser sur son épaule, son propriétaire à la silhouette massive.

— Tiens donc, messieurs Trainor et Knopf, les bouffons de service. Toujours compères à ce que je vois. Lequel de vous deux a envie de se mesurer à moi le premier ?

Alarmée par la soudaine agressivité de Stone, Tamara se dit qu'elle avait deux secondes pour intervenir avant de devoir courir le chercher dans le plus proche commissariat.

Sans lui laisser le temps de réagir, elle sortit du véhicule afin de le contourner.

— Vous annoncez le combat, McQueen ? Par le passé, il me semble me souvenir que vos méthodes étaient plus sournoises, fit remarquer le plus corpulent des deux hommes.

Celui qui, vêtu d'une veste sport à l'imprimé écossais, avait sa main posée sur l'épaule de Stone.

— J'ai entendu dire, ajouta-t-il, que vous fréquentiez les AA. Auriez-vous gagné en sainteté à force de baigner dans la religion des sous-sols où se tiennent leurs réunions ?

— Arrête, Tommy.

Le compagnon du gros homme fit un pas hésitant en avant.

— On n'est pas là pour ça.

Il cligna des yeux sous ses lunettes cerclées d'or avant d'ajouter, l'air soulagé de voir Tamara s'approcher d'eux :

— De plus, nous sommes en présence d'une dame.

— Oh, je vous en prie, répliqua Tamara tout en s'avançant d'un pas décidé devant les deux premiers antagonistes.

D'autorité, elle détacha la grosse main posée sur l'épaule de Stone.

— Disons que je suis le contrôleur d'adrénaline, les gars, rectifia-t-elle. Et je vous conseille d'en faire baisser vos taux respectifs avant que quelqu'un n'appelle la police.

— Je vous connais ! affirma soudain l'individu corpulent.

Ses petits yeux s'étaient plissés jusqu'à disparaître presque entièrement entre les replis de son visage.

— Vous êtes la fille adoptive de Jack Foley.

— Puisque vous le dites.

Tamara le dévisagea avec froideur.

— Et vous, le petit Tommy de Mme Knopf, c'est cela ?

Sorti à son tour du véhicule, Stone désigna le plus jeune des deux hommes, qui continuait de se tenir en retrait.

— Et voilà Bill Trainor, la deuxième moitié de ce duo intrépide. Comment se fait-il que vous ne soyez pas sur les traces d'un dangereux incendiaire, à cette heure de la journée, messieurs les experts ?

Une lueur de haine dans le regard, Trainor rétorqua :

— Nous venons du Red Spot. Vous comptiez vous y rendre, McQueen ? demanda-t-il d'un ton inquisiteur.

Stone opina de la tête.

— Je pensais y déverser le bidon d'essence qui est dans mon coffre. Leurs sandwichs au roast-beef laissent un peu à désirer ces temps-ci, vous ne trouvez pas ? Bon sang, ajouta-t-il en tâtant ses poches, j'étais pourtant sûr d'avoir pensé aux allumettes.

Le visage de Trainor prit une teinte rosacée.

— Prenez garde, Stone.

Il avala sa salive et Tamara vit sa pomme d'Adam saillir.

— Nous pourrions décider de vous arrêter sur la base de cette déclaration.

— Essayez toujours, mais je doute que vous y parveniez.

Le ton de Stone était peu offensif, mais la lueur qui brillait dans son regard fit reculer Trainor d'un pas.

— Calme-toi, Bill, ordonna Knopf avec un regard impatient à l'adresse de son partenaire. Il essaye de te faire sortir de tes gonds. Ça l'amuse.

Puis se tournant vers Stone :

— Vous vous êtes toujours trouvé très malin, hein, McQueen ?

— Disons que la compétition contre vous ne me fait pas peur, Tommy.

Sur ces mots, Stone haussa les épaules avec lassitude.

— Ecoutez, les gars, cet échange de vieilles blagues m'a réchauffé le cœur, mais vous avez sûrement une poubelle brûlée à expertiser quelque part. Alors, à plus tard. Allez, Tam, on y va.

— Ainsi que vous le savez déjà, McQueen, ce n'est pas l'incendie d'une *poubelle* qui nous occupe en ce moment.

Knopf planta son imposante silhouette en travers de leur chemin avant d'ajouter :

— Imaginez ma surprise, quand j'ai lu votre nom sur la liste des résidents de l'hôtel qui a flambé récemment. Et celle qui m'a étreint, lorsque j'ai su que c'était Chandra Boyleston qui avait signé votre décharge à l'hôpital.

Il eut un sourire désobligeant.

— Le lieutenant Boyleston a refusé de nous dire où vous vous trouviez — jusqu'à ce que je lui rappelle les risques qu'elle encourrait pour obstruction à la justice.

Puis, tournant son regard vers Tamara :

— C'est une habitude chez vous, d'offrir un lit à tous les paumés dont le logement est parti en fumée ?

Sentant la main de Stone se crisper sur son bras, Tamara prit une courte inspiration avant de rétorquer :

— Si vous avez vraiment quelque chose à nous dire, faites-le, Knopf. Sinon, ôtez-vous de là.

D'une voix égale, elle ajouta :

— Parce qu'autrement, vous risquez de mauvaises surprises.

Elle le vit cligner des yeux.

— D'accord, répliqua Knopf. Je serai bref. On vous a aperçu près des lieux de l'incendie, McQueen. Si je découvre que vous essayez encore de jouer au cow-boy, je vous fais coffrer, ainsi que votre charmante petite amie. C'est clair ?

— Comme de l'eau de roche, Tommy.

Sans qu'elle l'ait senti bouger d'un millimètre, Tamara remarqua que la silhouette de Stone semblait plus imposante, comme s'il avait gonflé toute sa masse musculaire.

— A mon tour d'être clair, dit-il. L'incendie du Dazzlers n'est pas la seule enquête que vous ayez sabordée, vous et Trainor. Alors si vous tentez de mêler Tamara à nos querelles personnelles, je m'assurerai que vos carrières respectives s'achèveront à nettoyer les chenils.

— Vous ne lâcherez jamais la pression à propos de l'affaire du Dazzlers, hein, McQueen ?

De manière inattendue, c'était Trainor qui venait d'intervenir. Comme il s'approchait d'eux, le soleil se refléta dans les verres épais de ses lunettes. Cette image rappela à Tamara les expériences enfantines pratiquées avec Claudia à l'aide d'une loupe et d'une poignée d'herbes sèches.

— Cet hôtel pouilleux n'est pas le Dazzlers, McQueen. Alors si vous espériez réintégrer nos services, auréolé de gloire, vous avez choisi la mauvaise affaire pour y parvenir. Par chance pour vous, celle-ci n'a rien d'un incendie volontaire.

Comme s'il en avait trop dit, Trainor s'interrompit brusquement. Tamara vit alors la colère assombrir le visage de son partenaire.

— Par chance pour moi… que voulez-vous dire ?

La question de Stone résonna avec force dans le silence qui avait suivi la remarque de Trainor.

— Rien, répliqua Knopf. Rien du tout. Vous avez juste un peu énervé Billy, voilà tout.

Il parlait sans regarder Trainor.

— Mais n'oubliez pas ce que je vous ai dit, McQueen. C'était un aimable avertissement. Ce sera le dernier.

Avec un geste de la tête à l'adresse de son partenaire, Knopf commença à s'éloigner. Mais au lieu de le suivre, Bill scruta un instant le visage de Tamara. Puis, d'une voix qui avait perdu toute agressivité, il déclara :

— J'ai entendu dire que vous connaissiez la femme qui a péri dans cette chambre. Je… je vous présente mes condoléances.

Sa pomme d'Adam pointa une fois de plus au-dessus du col de sa chemise. Puis, après un haussement d'épaules maladroit, il tourna les talons. Une fois qu'il eût rejoint Knopf, elle vit le gros homme le sermonner tandis qu'ils s'éloignaient à grands pas. Mais Trainor sembla l'ignorer.

— Qu'est-ce que c'est que cette histoire ?

Les sourcils froncés, Tamara se tourna vers Stone.

— Comment savent-ils que je connaissais Claudia ?

— Je l'ignore.

Le regard de Stone était toujours braqué sur les deux hommes, qui, à une cinquantaine de mètres de là, montaient dans une conduite intérieure banalisée.

— Jack nous a confié qu'il jouait au poker avec eux, dit-il. Le nom de Claudia a peut-être été prononcé au cours d'une de leurs conversations.

Comme la voiture des deux experts s'insérait dans le flot des véhicules, Tamara sentit la tension de Stone se relâcher.

— Mais pourquoi m'a-t-il présenté ses condoléances ?

Elle jeta un bref coup d'œil dans sa direction avant d'ajouter :

— Afin d'indiquer que c'est uniquement après vous qu'il en a ? Il faut dire que vous avez tout fait pour les provoquer.

— Ils l'ont cherché. Et je me disais que si je parvenais à les énerver, l'un d'entre eux ferait une gaffe — bien que j'avoue avoir plutôt misé cette chance sur Tommy que sur Bill.

— Ils aimeraient pouvoir vous mettre l'incendie de cet hôtel sur le dos, hein ? demanda Tamara, bien que cette idée lui semblât ridicule. C'est à croire qu'ils ignorent le concept du mobile.

— Trainor était bien prêt à croire que j'allais incendier le Red Spot à cause de leurs sandwichs au roast-beef.

Stone lui décocha un bref sourire avant d'ajouter, d'un ton soudain grave :

— Ils ne pouvaient en tout cas choisir pire moment pour se montrer. A propos des lettres de Claudia, Tam... J'ai dit n'importe quoi. C'était stupide de ma part. J'ai juste pensé...

Il s'interrompit brusquement.

— Vous savez, dit-il, les sandwichs du Red Hot sont très bons, en réalité, et Chandra doit se demander où nous sommes passés. Que diriez-vous d'une invitation à dîner ?

Tamara refusa de se laisser distraire par son sourire.

— Vous avez pensé... ?

Comme Stone ne répondait pas, elle fronça les sourcils.

— Je veux savoir ce que vous alliez dire, Stone.

Il la regarda dans les yeux.

— Simplement que j'ai l'impression que vous avez passé votre existence à prouver je ne sais quoi. Et que vous vous accrochez désespérément à cette image de dure à cuire. Je voulais juste vous dire que s'il y a quelqu'un avec qui vous n'avez pas besoin de vous cacher, c'est moi.

Comme malgré lui, il tendit la main et lui releva le menton avant de faire courir son pouce le long de sa lèvre inférieure.

— Je suis un des plus grands loosers au monde, mon ange. J'ai touché le fond il y a des années de cela. Et si j'ai commencé à remonter la pente depuis quelque temps, j'ai encore beaucoup de chemin à faire. Alors vous n'avez nul besoin de chercher à m'impressionner, Tamara. Et si un jour, tout vous paraît trop dur, si vous avez envie de passer un moment avec quelqu'un auprès de qui vous pouvez ôter votre masque, je suis votre homme.

Elle pouvait faire confiance à Stone McQueen, songea Tamara, pour profiter d'une telle situation à son avantage.

— Arrêtez, balbutia-t-elle en repoussant sa main.

Dix minutes auparavant, elle pensait avoir utilisé son quota de larmes semestriel, mais de toute évidence, elle s'était trompée, car elle en sentait de nouveau la brûlure sous ses paupières.

— Après avoir vu à quoi je ressemble quand je pleure, protesta-t-elle, j'ignore ce qui vous pousse à tout mettre en œuvre pour que je recommence.

C'était *vraiment* un mufle, décida Tamara en le voyant sourire. Il ne s'agissait pas du mince rictus auquel elle était accoutumée, ni du pli ironique qu'elle avait souvent vu déformer sa bouche, mais d'un grand et franc sourire, incroyablement doux. Seul un monstre pouvait produire un tel sourire en cet instant. L'instant précis où elle était suffisamment vulnérable pour tomber…

« Redresse la barre, King ! »

La voix impérieuse qui venait de résonner dans son esprit interrompit brutalement ses pensées. Juste à temps, se dit Tamara, avec l'impression de recouvrer *in extremis* son bon sens. Son unique incursion au pays de la romance s'était avérée un désastre. S'il y avait une prochaine fois, si elle décidait un jour de se jeter de nouveau à l'eau, elle voulait être sûre que ce soit dans une eau aussi transparente que le cristal. Et non dans un lagon séduisant, hérissé de rochers aussi dangereux qu'invisibles.

Elle redressa le menton.

— Croyez-moi, McQueen, verser de tels torrents de larmes ne me ressemble pas.

Puis, avec un sourire bravache, elle ajouta :

— Et je ne crois pas avoir besoin d'une épaule masculine sur laquelle pleurer, mais j'accepte que nous allions dîner. Vous pourrez vous jeter sur votre sandwich au roast-beef, tandis que je m'offrirai moi-même un gâteau.

Durant un moment, elle crut que Stone n'allait pas répondre. Puis l'expression de ses yeux gris se transforma imperceptiblement.

— C'est tout de même impressionnant, affirma-t-il. En deux phrases, vous avez réussi à rejeter en bloc mes deux propositions. Je comprends à présent pourquoi ce mâle castré qui vit avec vous a parfois l'air si dégoûté de la vie.

Ils arrivaient devant le Red Spot et Stone retint la porte à son intention, une expression sibylline plaquée sur ses traits. Comprenant enfin le sens de sa boutade, Tamara sentit le rouge lui monter aux joues.

— Voyons McQueen !

Comme ils pénétraient dans la salle comble du restaurant, elle éleva la voix.

— J'ignorais que votre virilité fût aussi fragile.

— Vous êtes contente, tout le monde a bien entendu ? maugréa Stone.

— Moi j'ai entendu.

Cette réplique acerbe provenait d'une table placée légèrement en retrait. Un verre vide posé devant elle, le lieutenant Boyleston tendit le bras avant de tapoter avec ostentation la mince montre en or qui ceignait son poignet.

— Il est 19 h 15, McQueen. J'allais abandonner l'espoir de te voir apparaître.

— Ne commence pas à me chercher des noises, Chand, rétorqua Stone d'un ton irrité.

Comme un serveur affairé tentait de l'ignorer en passant, McQueen le rattrapa par l'épaule :

— Pas si vite, mon vieux. Un autre verre de vin rouge pour madame, s'il vous plaît.

Il leva un sourcil interrogateur à l'adresse de Tamara, qui s'installait en face de Chandra.

— La même chose, répondit-elle d'un ton distant.

— *Deux* verres de vin rouge, rectifia Stone. Et je prendrai n'importe quoi à la pression, du moment que ce n'est pas de la lavasse.

Il avait commencé à attirer une chaise à lui, lorsqu'il interrompit brutalement son geste pour se retourner vers le garçon qui s'éloignait.

— Mettez un café, à la place de la bière.

— Un café ?

Le serveur eut l'air surpris, mais devant le regard furibond de Stone, il se détourna et se dirigea en hâte vers le bar.

— Tu t'es rappelé que j'aimais le vin rouge, Stone ?

Si Boyleston avait posé cette question afin de faire diversion à cet incident, son stratagème ne fonctionna pas. Tout en s'asseyant, Stone la dévisagea d'un œil glacé.

— Nous autres ex-alcooliques pouvons aller jusqu'à oublier notre nom, Chand, ou le fait que nous sommes au régime sec. Mais nous n'oublions jamais un verre pris entre amis. Maintenant, parlons d'autre chose, veux-tu ?

— Pas de problème.

Boyleston eut un mince sourire.

— On pourrait parler des risques que j'ai pris afin de dénicher l'information que tu m'as demandé de te fournir, McQueen. Ou de comment Knopf et Trainor m'ont mis la pression, juste parce que je suis ton amie. Ou encore du fait que je devrais être chez moi à cette heure-ci, auprès d'un mari et d'un fils que je vois déjà trop rarement, au lieu de gâcher ma soirée par ta faute.

— Nous pourrions également nous demander comment un minable de mon espèce a pu gagner l'amitié d'une femme telle que toi.

Tendant la main, Stone saisit celle de Boyleston.

— Bon sang, je suis désolé d'être en retard, et de t'avoir agressée, à peine arrivé, Chand. Pourquoi me supportes-tu encore ?

— Si tu as oublié pourquoi, Stone, répondit Chandra d'une voix posée, moi je ne l'oublierai jamais.

En les observant, Tamara vit une légère rougeur apparaître sous le hâle de Stone. Comme le garçon apportait leur commande, il libéra la main de Chandra et affirma d'un ton embarrassé :

— C'est du passé lointain, sœurette. Laisse tomber.

— Cela fait exactement dix ans et demi, précisa Chandra.

Elle prit le menu qui se trouvait devant elle.

— Sandwich au roast-beef pour tout le monde ?

— J'en ai tellement vanté les qualités à Tam que je me sens contraint d'en prendre un.

Pour la première fois depuis qu'ils étaient entrés, Stone croisa son regard, et Tamara le vit s'assombrir.

— Le spécial pour vous aussi, Tamara ? s'enquit Chandra.

Décontenancée, Tamara arracha son regard à celui de Stone.

— Pardon ? Euh, oui, lieutenant. Ça a l'air délicieux.

L'usage de ce terme hiérarchique était chez elle une habitude. Pourtant, dès qu'elle l'eût prononcé, elle en sentit aussitôt toute la rigidité. Chandra souriait à une remarque de Stone, qui entreprenait de lui raconter leur rencontre avec Knopf et Trainor. Portant son verre à ses lèvres, Tamara but nerveusement une petite gorgée de vin.

Stone avait raison, comprit-elle avec désarroi. Comme il le lui avait si judicieusement reproché, elle mettait tout en œuvre pour tenir le monde extérieur à distance. Depuis son insistance à s'adresser à Chandra comme à une supérieure plutôt qu'à une amie, en des circonstances aussi informelles, jusqu'à la manière dont elle avait spontanément repoussé tout à l'heure la proposition amicale de Stone.

S'il y a une personne avec qui vous pouvez vous abstenir de vous cacher, Tam, c'est moi.

Il s'était ouvert à elle, et elle lui avait claqué la porte au nez. Pourquoi ?

« Tu sais très bien pourquoi, King. Tu l'as su dès l'instant où tu as posé les yeux sur lui. Au premier regard, c'était comme si cet inconnu t'avait offert son âme, et que tu lui avais donné la tienne en échange. » N'était-ce pas là, se demanda Tamara, une pensée terrifiante ?

— Désolé, Stone, mais je n'y crois pas une seconde. Pas après tout ce temps.

Le ton de Chandra était suffisamment ferme pour s'être immiscé jusque dans les pensées de Tamara. Sautant sur cette occasion pour oublier ses embarrassants atermoiements, Tamara reporta son attention sur la conversation qui se déroulait autour d'elle.

— Moi non plus, je n'y crois pas… Pas encore, en tout cas. Mais si les résultats de Leung démontrent…

Stone s'interrompit, le temps que le serveur, chargé de leurs assiettes, les dispose devant eux et reparte. Il reprit alors son argumentation à voix plus basse :

— Et s'il réussit à prouver qu'il s'agit du même produit, Chand ? Nous n'avons jamais été confrontés à ce composé avant, et depuis que j'ai démissionné, il n'a jamais plus été utilisé.

— Ce n'est tout de même pas une empreinte digitale, objecta Chandra, mais la version bâtarde d'un carburant pour fusées. Un produit hautement inflammable, trop instable, m'avais-tu dit, pour un usage légal.

Boyleston prit sa fourchette, qu'elle piqua dans une frite.

— Il a pu rester une quantité suffisante de ce combustible sur le marché pour que quelqu'un d'autre en fasse aujourd'hui usage, Stone. Pour moi, ton hypothèse frise la...

Boyleston s'interrompit brusquement. Après avoir enfourné la frite dans sa bouche, le visage soudain vidé de toute expression, elle fixa son assiette.

— La paranoïa, Chand ?

Un sourire déformant sa bouche, Stone saisit une moitié de son sandwich et mordit dedans, son regard toujours braqué sur la tête baissée de Chandra.

— Crois-tu que je n'en sois pas conscient ?

Sentant alors sa patience la déserter, Tamara demanda :

— Est-ce que quelqu'un pourrait m'expliquer de quoi il retourne ? A quelle fichue hypothèse faites-vous allusion ?

— McQueen pense que le pyromane responsable de la série d'incendies sur lesquels il enquêtait avant de démissionner a pris de longues vacances, mais qu'il est de retour, expliqua Chandra d'une voix neutre.

— Ainsi exposé, ça paraît évidemment absurde, grogna Stone. Et je t'ai dit qu'il ne s'agissait que d'un soupçon.

— Si c'est le cas, pourquoi as-tu tant insisté pour que je déniche l'adresse de Glenda Fodor ?

Les lèvres de Chandra se pincèrent.

— Enfin, on n'a jamais vu un incendiaire interrompre seul ses activités, pour les reprendre plusieurs années plus tard.

Elle secoua la tête avec fermeté.

— Nous savons que celui-ci n'a jamais été arrêté. Cela ne laisse qu'une explication au fait que les incendies aient subitement cessé de se déclencher.

— J'ai consulté les statistiques, Chandra, répliqua Stone d'un ton sec. Je sais que les incendiaires peuvent mourir comme tout le monde lors d'accident de voiture, ou d'une attaque cardiaque.

— Et c'est évidemment ce qui s'est passé dans le cas qui nous occupe, conclut Boyleston.

Prenant entre ses mains l'énorme tranche de pain de laquelle débordaient de fines lamelles de roast-beef juteux, Tamara examina tour à tour les visages butés de Chandra et de Stone.

— Comment pouvez-vous en être si sûre, Chandra ? objecta-t-elle. Je trouve l'hypothèse de Stone très plausible au contraire.

Elle enfonça ses dents dans l'épais sandwich avant de demander, fort peu élégamment, et la bouche pleine :

— Mais, d'abord, qui est cette Glenda Fodor ?

Stone ne s'était pas trompé concernant le sandwich au roast-beef, se dit Tamara. Il était délicieux — même s'il était impossible de le manger proprement. Se penchant en hâte au-dessus de son assiette, elle se saisit d'une serviette en papier.

Par ailleurs, il ne s'était pas non plus trompé en ce qui la concernait. Le fait que quelqu'un d'aussi inapte que lui en matière de sociabilité, ait su lire aussi infailliblement en elle, était *plus* que déroutant. C'était inquiétant. Il ne la connaissait que depuis quarante-huit heures, mais il avait réussi à mettre le doigt sur un aspect de sa personnalité qu'en vingt-sept ans, elle n'avait jamais décelé.

Même son choix de carrière collait dans le tableau, se dit-elle. Elle faisait irruption dans la vie des gens en un moment de crise, pour concentrer dès le lendemain son attention sur une autre urgence, un autre incendie à éteindre. Son métier ne la contraignait en aucun cas à s'investir plus avant auprès des victimes, et cela lui convenait parfaitement.

Tenir le monde à distance était confortable pour elle. Sans danger. C'était quelque chose qui allait lui manquer, songea Tamara avec résignation. Car maintenant que Stone McQueen avait surgi dans son existence, lutter aurait été inutile. Même si elle l'avait voulu, elle savait qu'elle ne serait plus capable d'ériger de telles barrières autour d'elle. Parce que, cette fois, elle s'était personnellement impliquée, non seulement dans cette enquête, mais auprès de cet homme.

Et au vu de la facilité avec laquelle elle venait de l'admettre, toute demi-mesure aurait été vaine.

McQueen avait trouvé une partenaire. Or les partenaires n'avaient-ils pas pour rôle de se soutenir mutuellement ? se demanda Tamara en mordant de nouveau dans son sandwich, avant de se figer.

Deux paires d'yeux étaient braquées sur elle ! L'une, marron, scrutatrice, appartenait à Chandra. L'autre, celle de Stone, était braquée sur elle avec une sorte d'espoir incertain. Elle soutint calmement son regard, et le vit ébaucher un sourire.

Tout en répondant à son sourire, elle sentit son cœur faire un triple saut périlleux dans sa poitrine, avant de se jeter dans les eaux sombres du lagon.

— J'ai toujours soupçonné Glenda Fodor d'être la petite amie de notre incendiaire, affirma Stone d'une voix rauque.

Son sourire vacilla sur ses lèvres.

— Mais peut-être Chandra a-t-elle raison, Tam. Peut-être suis-je devenu à moitié fou. A force de n'expertiser que des fonds de bouteille, peut-être ai-je fini par y noyer mes talents.

« Ma pauvre fille », pensa Tamara en tressaillant. Qui avait-elle cherché à leurrer ? Elle n'avait jamais pensé à Stone en termes de partenariat. C'était un type offensif, irritant, pour ne pas dire exaspérant. Mais si elle ne faisait pas tout de suite quelque chose pour faire fuir l'affreux doute qu'elle lisait dans son regard, elle craignait de se remettre à pleurer comme une fontaine.

— Vous avez peut-être dérapé à un moment, Stone, protesta-t-elle, mais cela fait plus de huit mois que vous êtes sobre, et aucun autre élément de votre personnalité — comme votre charme par exemple — ne semble avoir disparu dans la tourmente. Pourquoi voudriez-vous, dans ce cas, avoir perdu vos talents d'enquêteurs ?

Tamara reprit son sandwich à deux mains. Avant d'en enfourner une énorme et dernière bouchée, elle demanda d'un ton détaché :

— Comment sont les gâteaux, ici ? Aussi bons que les sandwichs ?

C'était la faute du raifort, se dit-elle quelques secondes plus tard, se cramponnant à cette certitude. Tout le monde savait que le raifort vous faisait monter les larmes aux yeux… Ce n'était certainement pas, en tout cas, parce que Stone McQueen la dévisageait comme si elle venait de lui rendre un bien perdu depuis longtemps. Elle vit ses épaules se redresser avec pugnacité, et un coin de sa bouche se relever en un sourire.

— La tarte à la noix de coco n'est pas mauvaise, répliqua-t-il sur le même ton désinvolte.

Du coin de l'œil, Tamara vit Chandra les dévisager tour à tour avec incrédulité.

— Goûtez-en une, suggéra Stone. N'hésitez pas, c'est moi qui invite.

Troublée, Tamara avala sa bouchée avec difficulté avant de foudroyer Stone du regard :

— Il y a intérêt à ce que ce soit vous qui payiez, McQueen.

10.

« … Et j'ai arrêté de fumer ! Parce que je l'avais promis à Petra. Tu n'imagines pas comme elle peut se montrer intransigeante, pour une enfant de cinq ans. Il y a si peu de chances pour que tu lises jamais ces lettres, Tam, que je voudrais avoir le courage de prendre le téléphone et de te parler de vive voix. Te souviens-tu du jour où tante Kate nous avait emmenées à Cap Cod, et où chacune de nous avait introduit un message dans une bouteille, avant de la jeter dans l'océan ? C'est ce que sont ces lettres à ton adresse, des bouteilles à la mer. Dans un futur lointain, peut-être te tiendras-tu sur un quelconque rivage et les vagues déposeront-elles un de ces messages à tes pieds. Le contenu en est toujours le même, Tam-Tam : je t'aime. Tu n'as jamais cessé de me manquer. Et pas un jour ne passe sans que je regrette de ne pouvoir revenir en arrière, afin de changer le cours de notre histoire.

» Avec toute mon affection. »

Tamara replia la lettre de Claudia qu'elle glissa dans son enveloppe. Une grosse larme roula de sa joue sur l'encre du libellé.

Des taches similaires en souillaient le contenu — certaines, encore humides, d'autres, sèches depuis bien avant que ce courrier n'arrive sur le bureau de Hendricks.

— Message reçu, Claudia, murmura Tamara.

Elle s'essuya les yeux. Elle avait encore une bonne dizaine de missives à lire. Avec cette petite fille que Claudia avait confiée à sa garde, c'était tout ce qu'il lui restait de son amie. Plus tard, une fois qu'elle les aurait toutes consultées, elle les conserverait en lieu sûr, afin de pouvoir les ressortir dès qu'elle aurait envie de sentir la présence de Claudia à ses côtés.

Ce ne serait jamais comme si elle était revenue, bien sûr. Mais après avoir refoulé le souvenir de leur amitié durant sept longues années, le retrouver était un réel réconfort.

Jetant un regard à l'horloge de la cuisine, Tamara constata avec surprise qu'il était presque 23 heures. Elle rassembla la pile de lettres et tendit entre ses doigts l'élastique qui les retenait ensemble. Mais celui-ci se cassa, et vola à travers la pièce pour rebondir sur le nez d'un Pangor offusqué.

— Oh, pardon, le chat.

En remplacement du premier, elle détacha l'élastique qui retenait ses cheveux.

— Tu as l'air de te languir de M. Superman, dit-elle à l'adresse de Pangor. Ne t'inquiète pas, il va bientôt revenir.

Après avoir rempli d'eau la bouilloire électrique, Tamara s'assit d'un bond sur la paillasse. Tout en réfléchissant, elle croisa les chevilles et balança ses pieds d'avant en arrière avec impatience.

Boyleston, se dit-elle, persistait à rejeter l'hypothèse de Stone. C'était en tout cas ce que cette dernière avait affirmé tout à l'heure au Red Spot, en lui remettant néanmoins un morceau de papier sur lequel était griffonnée une adresse.

— Ce n'est pas moi qui t'ai communiqué ces coordonnées, McQueen, avait-elle précisé. Et n'oublie pas que rien ne t'autorise de manière légale à rendre visite à cette Mlle Fodor. Alors si elle ne veut pas parler, n'insiste pas.

— Je sais me montrer diplomate, avait protesté Stone. Et si ce type est de nouveau dans le circuit, je doute qu'il faille user de beaucoup de persuasion pour la faire parler.

Devant son regard d'incompréhension, se souvint Tamara, Stone s'était excusé :

— Pardon, j'oubliais que vous ignorez tout de ces différentes affaires. Suite aux premiers incendies que j'ai soupçonnés être l'œuvre de ce salaud, avait-il expliqué, un nom a attiré mon attention : celui de Glenda Fodor. Une jeune vendeuse de prêt-à-porter qui, à deux reprises, s'était absentée du lieu où elle aurait normalement dû se trouver, peu avant que celui-ci ne prenne feu. La première fois, en se faisant porter pâle, une demi-heure avant l'incendie du magasin dans lequel elle travaillait. La deuxième, en déménageant en pleine nuit d'un immeuble qui, lui aussi, avait brûlé le lendemain.

— Elle ne paraissait pas très futée, avait précisé Chandra d'un ton sec, et répétait inlassablement qu'elle avait eu de la chance. Alors on l'a crue.

Stone avait objecté :

— J'ai toujours su qu'elle mentait. Mais je n'avais aucun moyen de pression sur elle.

Il avait secoué la tête avec agacement.

— J'avais appris par une de ses voisines qu'elle avait commencé à sortir avec un homme, quelques semaines avant de déménager, alors qu'elle jurait n'avoir personne dans sa vie.

— La description communiquée par cette voisine, avait ajouté Chandra, correspondait à celle de Robert Pascoe, un type dont on ne savait pas grand-chose, mais que l'on soupçonnait de déclencher des incendies sur contrat. Mais comme Glenda continuait de nier, la piste s'est arrêtée là.

— Parce qu'on m'a empêché de la placer sous surveillance, avait protesté Stone. Alors qu'elle était prête à craquer. Elle n'attendait qu'un prétexte pour le faire. Si on le lui avait fourni, peut-être l'incendie des tours Mitchell n'aurait-il pas…

Chandra l'avait interrompu :

— Ce n'est pas toi qui as pris la mauvaise décision, Stone. Et il faut que tu comprennes qu'on ne peut pas revenir indéfiniment sur le passé.

Comme il relevait brusquement la tête, Tamara avait lu une souffrance presque tangible dans le regard de Stone.

— Bon sang, Chand, je ne reviens pas sur le passé. Je veux simplement éviter qu'il ne se répète. Or, j'ai l'impression que c'est ce qui est en train d'arriver.

Après cette discussion, elle se souvenait que Stone s'était montré particulièrement à cran. A tel point que lorsqu'elles avaient commandé un autre café, il s'était levé brusquement, comme incapable de rester assis là une minute de plus.

— Je vais au gymnase, faire un basket, avait-il annoncé, tourné vers Tamara. Si je ne suis pas rentré avant votre coucher, tant pis pour moi.

Il s'était éloigné en direction du serveur qui se trouvait à l'autre extrémité de la salle, avant de se retourner. Son regard, se souvint Tamara, avait alors cherché le sien.

— J'ai simplement besoin de me dépenser, Tam, avait-il expliqué. De m'épuiser physiquement. Vous comprenez ?

— Je crois, oui.

D'une voix qu'elle s'efforçait d'être égale, elle avait ajouté :

— Mais j'espère que *vous* comprenez que je suis de votre côté, Stone.

Une part de la tension qui crispait les traits de McQueen avait semblé se relâcher tout à coup.

— Je n'ai jamais voulu de partenaire, avait-il dit, et n'en ai jamais eu. Je suis sans doute un collaborateur impossible.

— Certainement, McQueen.

Son sourire oscillant sur ses lèvres, elle l'avait congédié d'un signe de la main :

— Allez donc taper sur ce fichu ballon.

— Il va sûrement rater le panier.

Même si elle se voulait anodine, la boutade de Chandra, tandis que Stone s'éloignait, avait irrité Tamara :

— Je suis fatiguée d'entendre dire que Stone McQueen n'est plus l'homme qu'il était, avait-elle répliqué. N'avez-vous pas envisagé la possibilité qu'après ce qu'il a traversé, il puisse être plus coriace encore que par le passé ? C'est pourtant ainsi qu'on fortifie l'acier — par l'épreuve du feu. Pour une amie, vous semblez terriblement pressée de faire une croix sur Stone, Chandra, ainsi que sur les hypothèses qu'il avance.

— C'est faux !

La protestation avait agrandi le regard du lieutenant.

— Je lui dois la vie, et si quelqu'un l'a soutenu au long de ces années, c'est bien…

Son regard s'abaissant sur ses mains soudain crispées autour du rebord de la table, Boyleston s'était interrompue. Lorsqu'elle avait relevé la tête, une profonde émotion marquait ses traits.

— Vous avez peut-être raison, avait-elle alors admis. Peut-être mon propre passé m'empêche-t-il en fait d'être objective en ce qui concerne Stone. Je ne vous ai jamais dit que Hank était mon deuxième époux, n'est-ce pas ?

— Non, avait convenu Tamara, les sourcils froncés par la surprise. Mais je ne vois pas…

Chandra l'avait scrutée du regard, avant de dire :

— Non, en effet. Je ne sais quoi, en vous, encourage peu aux confidences.

Elle avait détourné le regard avant d'ajouter :

— Mon premier mari, John, était alcoolique. Je l'ai épousé en espérant le changer, et quand il a commencé à me frapper, j'ai cru avoir une part de responsabilité dans ce qui m'arrivait.

— Vous n'êtes pas obligée de me raconter cela.

Ces propos, qu'elle avait aussitôt regrettés, avaient franchi les lèvres de Tamara comme à son insu.

— Mais… mais je serais ravie de l'entendre, si en parler n'est pas trop dur pour vous, s'était-elle empressée d'ajouter.

— C'est très dur, avait avoué Chandra d'une voix tendue. C'était plus dur encore, à l'époque. Je ne disais à personne que l'homme que j'avais aimé s'était mué en un véritable monstre. Au travail, je m'évertuais à raconter que je m'étais cognée à une porte, que j'avais glissé sur le carrelage mouillé, et tout le monde faisait mine de me croire.

Détachant son regard de ses mains, Chandra l'avait levé vers elle :

— Jusqu'au jour où je suis tombée sur McQueen, que je n'avais plus vu depuis sa promotion au département des investigations. J'avais un œil poché, que dix couches de fond de teint n'avaient pas réussi à dissimuler, et j'ai commencé à lui raconter mes sornettes habituelles. Tout le monde avant lui s'était montré suffisamment poli pour feindre d'y croire, mais j'avais oublié que McQueen se fichait de la politesse comme de sa première chemise. Il m'a demandé d'arrêter de lui mentir, et de lui dire qui m'avait fait ça, afin qu'il puisse intervenir. J'avais terriblement envie de le faire, Tamara.

Le regard de Chandra s'était assombri :

— Mais j'avais tellement honte, que je lui ai répondu de s'occuper de ses affaires.

— Chose pour laquelle il n'est pas très doué, ainsi que je l'ai remarqué, se souvint avoir assuré Tamara.

Chandra avait souri faiblement.

— En effet, mais cette fois, son obstination m'a sauvé la vie. Le soir même, John a tout fait pour entamer une dispute. Quand je lui ai dit que j'étais fatiguée et que j'allais me coucher, cela a suffi à mettre le feu aux poudres.

Voyant les mains de Chandra trembler, elle les avait recouvertes des siennes avant que celle-ci ne poursuive d'une voix inégale :

— Je me revois étendue sur le sol de la chambre, tentant de couvrir mon visage de mes mains. Je me souviens avoir regretté de ne pas avoir dit la vérité à Stone, et hurlé son nom comme s'il pouvait m'entendre. Puis j'ai vu la botte de John revenir sur mon visage et à ce moment-là, j'ai su qu'il allait me tuer.

A ces mots, le tremblement des mains de Chandra était devenu incontrôlable.

— Soudain, j'ai vu Stone faire irruption dans la pièce. D'un coup de poing, il a envoyé John valser à l'autre bout de la chambre. Comme John revenait à la charge, Stone lui a mis son compte. Pour finir, d'une voix qui ne semblait même pas humaine, il a prévenu mon mari que s'il me touchait une fois de plus, il était un homme mort. Puis il m'a aidée à me relever, et m'a conduite à l'hôpital.

Chandra avait alors levé vers elle des yeux embués de larmes.

— J'ai découvert plus tard que s'inquiétant à mon sujet, il avait pris sur lui de surveiller ma maison ce soir-là.

— Cela lui ressemble tout à fait, avait répliqué Tamara, d'une voix mal assurée.

Entre Chandra et elle, il était dur de savoir laquelle des deux serrait avec le plus de force les mains de l'autre.

— Je comprends à présent pourquoi vous ne l'avez pas laissé tomber, quand sa propre existence a dérapé.

— En réalité, je *l'ai* laissé tomber, avait déploré Chandra en secouant la tête. Tout en me faisant croire que je continuais à le soutenir, j'ai laissé mon expérience avec John influencer mes réactions au sujet de Stone. J'ai refusé de comprendre que lui, avait vraiment fini par se prendre en main tout seul.

— Il fréquente les AA depuis plus de huit mois, et affirme qu'il n'a pas touché une goutte d'alcool depuis. Et je le crois.

— Moi aussi, Tamara.

Avant de poursuivre, Chandra s'était mordu la lèvre d'un air désespéré.

— Peut-être est-ce la raison pour laquelle je ne veux pas l'entendre, quand il dit que Robert Pascoe est de retour. Peut-être ai-je peur que cette affaire ne le détruise de nouveau… et que cette fois, il ne remonte jamais plus la pente.

Les craintes de Chandra pourraient-elles s'avérer justes ? se demanda Tamara en revenant au présent. Elle vit Pangor dresser l'oreille. Une fraction de seconde plus tard, elle entendit un bruit de bottes marteler l'allée. Déjà, elle était capable de reconnaître son pas, se dit-elle en glissant à bas du plan de travail. Mais pouvait-elle affirmer connaître cet homme ?

« Pas un instant », se dit-elle avec résignation, tout en l'entendant émettre un puissant juron tandis qu'il bataillait avec la poignée de la porte d'entrée. Mais ce que Chandra lui avait confié ce soir ne faisait que corroborer l'impression qu'elle s'était déjà faite de lui.

Sous sa carapace de brutalité se dissimulait un certain nombre de vertus masculines aujourd'hui désuètes. McQueen était de ces hommes prêts à sacrifier leur vie pour ceux qu'ils aiment. Et qu'il l'admette ou non, il avait une âme de justicier — il l'avait prouvé à maintes reprises, vis-à-vis de son amie Chandra, vis-à-vis des victimes innocentes d'un incendiaire, ou d'une petite fille qui avait placé en lui sa confiance. Seulement il était habitué à jouer cavalier seul.

Ce qui était fort regrettable, songea Tamara tout en déverrouillant la porte d'entrée. « Il serait temps d'évoluer sur ce dernier point, McQueen », avait-elle conclu en son for intérieur avant d'ouvrir la porte à son visiteur.

— J'ai dû attendre une demi-heure avant de pouvoir accéder aux douches. Je vous pensais déjà couchée.

Comme il levait un sourcil surpris, elle le jaugea du regard.

— Et vous espériez faire suffisamment de bruit pour parvenir à me réveiller ?

— Quelque chose comme ça.

Le sourire de Stone était dénué de tout repentir.

— Mon équipe a perdu de manière spectaculaire, ajouta-t-il en la suivant en direction de la cuisine. Vous auriez dû venir nous encourager.

Une brique de lait à la main, Tamara se retourna et déclara d'un ton prudent :

— J'ai eu l'impression que vous aviez besoin d'être seul.

Après avoir sorti une casserole du placard, et tout en y versant la teneur de deux tasses de lait, elle demanda :

— Car vous n'avez pas fait que jouer au basket, ce soir, n'est-ce pas, Stone ? Vous avez également combattu vos vieux démons.

Elle se tourna vers lui, en se demandant si elle n'était pas allée trop loin. Mais il la dévisageait sans ciller.

— Un en particulier, oui, acquiesça Stone.

Tamara vit un sourire ourler sa bouche, mais son regard demeurait voilé.

— Pensez-vous, comme Chandra, que ce démon ait fini par m'avoir complètement ?

— Non.

En voyant le visage de Stone s'éclaircir, Tamara se réjouit d'avoir répondu aussi spontanément.

— Il n'a eu de pouvoir sur vous que tant que vous refusiez d'admettre son existence, Stone. Or, vous ne m'apparaissez pas homme à vous mentir trop longtemps.

Elle ferma le bouton du gaz. Une intimité beaucoup trop

grande s'était de nouveau immiscée dans leur conversation... Et elle en était responsable.

— Vous le croyez vraiment ? demanda Stone.

Sans doute avait-elle imaginé la pointe d'ambiguïté qu'elle crut déceler dans sa voix, car lorsqu'elle jeta un regard par-dessus son épaule, il lui souriait avec candeur. Il désigna la pile de lettres serrées dans un élastique sur la table.

— Et vous, Tam ? Vous seriez-vous enfin décidée à affronter les vôtres ?

— Je m'étais en effet préparée à le faire.

En revenant du Red Spot, elle s'était arrêtée pour acheter une tablette de chocolat. Elle en défit l'emballage et la cassa en carrés avant de dire :

— Mais dès que j'ai commencé à lire les lettres de Claudia, c'était comme si j'avais entendu sa voix, Stone, et je me suis aperçue que je n'y rencontrais aucun démon. Mais une vieille amie — une amie qui m'avait beaucoup manquée.

— Une amie qui vous a fait du mal, pourtant.

Stone fronça les sourcils tandis qu'elle jetait les carrés de chocolat dans le lait frémissant.

— Qu'est-ce que vous faites ?

— Du vrai chocolat chaud, que vous allez boire sagement et adorer, répliqua Tamara d'un ton détaché.

Elle dénicha une cuillère de bois dans le tiroir et commença à remuer le lait à l'intérieur de la casserole.

— C'est vrai, convint-elle, Claudia m'a fait beaucoup de mal. Mais j'ai pris conscience que c'était la seule chose que je m'autorisais à me rappeler à son sujet. Le fait d'avoir lu ces lettres a fait resurgir de ma mémoire une foule de bons souvenirs qui pèsent en fait plus lourd pour moi dans la balance que cette unique déception. Vous comprenez cela ?

Stone répondit à sa question par une autre interrogation :

— Vous seriez donc prête à pardonner l'impardonnable, si celui-ci se trouve favorablement contrebalancé dans votre esprit ?

Légèrement décontenancée, Tamara haussa les épaules.

— Cela dépendrait des circonstances, dit-elle. Mais dans ce cas particulier, c'est à cette conclusion-là que je suis arrivée.

Elle retira la casserole du feu.

— Vous savez, ce n'est pas tant ce que Claudia a fait, qui m'a obsédé des années durant, que la *façon* dont elle l'a fait. Mais bien sûr, je comprends aujourd'hui qu'elle ait eu le sentiment de ne pas avoir le choix.

— Vous avez donc vous aussi effectué un calcul arithmétique concernant l'âge de Petra ?

Stone prit la tasse de chocolat qu'elle lui tendait.

— En effet.

Tamara fit une grimace avant de poursuivre, attirant une chaise à elle.

— Mais cela n'aurait pas dû s'avérer nécessaire. Les signes de sa grossesse étaient évidents, seulement j'ai refusé de les voir. Claudia et moi étions comme des sœurs l'une pour l'autre — comment ai-je pu ne pas comprendre qu'elle était tombée amoureuse de Rick ? Et inversement, d'autant que je ne me suis jamais sentie être la femme qu'il lui fallait ?

Tamara fronça les sourcils en soufflant sur son chocolat.

— Contrairement à elle, j'étais peut-être plus amoureuse de l'idée de fonder une famille que je ne l'étais de Rick.

Elle leva les yeux vers Stone.

— Mais à ce moment-là, je croyais ressentir à l'égard de cet homme l'amour dont parlent les poètes. Celui dont on peut mourir. Lorsque j'ai compris que le mariage n'aurait pas lieu, j'ai *cru* que j'allais en mourir. Mais me connaissant, je n'allais pas le montrer.

— Ne me dites pas que vous aviez déjà votre petit stock de Kleenex, à l'époque.

La boutade de Stone ne camoufla en rien la douceur inhabituelle de sa voix.

— Comment avez-vous géré la situation, Tam ?

— Je ne l'ai *pas* gérée.

Entendant la tension qui perçait dans sa voix, Tamara porta sa tasse à ses lèvres. Allait-elle vraiment le lui dire ? se demanda-t-elle en avalant une gorgée de chocolat brûlant. Entre tous, et après les avoir dissimulés durant toutes ces années, était-ce à Stone McQueen qu'elle allait finalement relater les détails scabreux de cette nuit particulière ?

« Il est le seul à qui tu puisses le raconter », se dit-elle avec une soudaine certitude. « Il sait ce que c'est que de toucher le fond. Tu as gardé ce secret sept années durant, et Stone est la première personne que tu rencontres, capable de le comprendre. »

— Je n'ai rien géré du tout. J'en ai seulement donné l'impression, avoua-t-elle en évitant son regard. La réception devait se tenir dans un élégant hôtel du centre-ville, aux frais d'oncle Jack. J'ai marché jusqu'à l'autel dans ma robe de mariée, puis j'ai annoncé à l'assistance que j'avais l'intention de donner cette fête malgré tout, et invité ceux qui en avaient envie à se joindre à moi.

Tamara ébaucha un sourire tremblant.

— La moitié des personnes présentes a dû penser que j'avais perdu la tête, et l'autre qu'il s'agissait d'une plaisanterie de mauvais goût. Mais pour finir, à part mon oncle et ma tante, la plupart d'entre elles sont venues.

— Jack n'aurait pas dû vous laisser, fit remarquer McQueen avec dureté. En tant que pompier, il aurait dû comprendre que le choc vous avait fait perdre la boule.

— Il s'inquiétait pour tante Kate, protesta farouchement Tamara. Elle commençait à avoir de sérieux problèmes cardiaques et il a tenu à la raccompagner chez eux.

Elle s'interrompit un instant.

— Vous savez, j'ai déjà raconté cette partie de l'histoire à plusieurs personnes, or vous êtes le premier à avoir compris que j'étais ce jour-là en état de choc. Mais cela n'explique par pour autant la façon dont j'ai terminé la nuit.

— Vous vous êtes un peu soûlée ? Vous avez un peu perdu la tête ?

Les mâchoires crispées, il détourna le regard avant d'ajouter :

— Rien ne vous force à entrer dans les détails.

— Vous m'avez volé ma tirade, McQueen.

Tamara se laissa aller à rire afin de dissimuler sa déconfiture. Elle fixa sa tasse puis la porta à ses lèvres.

— Et sans doute avez-vous raison — entrer dans les détails serait parfaitement inutile.

Elle prit une gorgée de chocolat avant de parvenir à produire un sourire.

— Alors, que pensez-vous du chocolat chaud à la King ? Avouez qu'il… qu'il bat l'omelette McQueen à plate couture, non ?

Levant les yeux vers Stone, Tamara remarqua qu'il l'observait avec insistance. Leurs regards se rivèrent un instant l'un à l'autre — le sien, agrandi et trop brillant, celui de Stone, sombre, habité par une lueur qu'elle prit pour de la colère, même si elle savait de manière instinctive que celle-ci n'était pas dirigée contre elle. Cette fois, elle fut la première à détourner les yeux, au moment où il prenait la parole :

— Je ne cherchais pas vous faire taire, Tam, assura-t-il à voix basse. Racontez-moi votre nuit. Que s'est-il passé ensuite ?

Elle secoua la tête et abaissa son regard sur ses mains.

— Ce que vous avez dit. J'ai bu beaucoup trop et j'ai un peu perdu la tête. Buvez votre chocolat, Stone.

Elle l'entendit soupirer. Du coin de l'œil, elle le vit prendre sa tasse, puis la vider d'un trait, avant de la reposer sur la table dans un claquement sec.

— Vous avez raison, le chocolat chaud à la King bat l'omelette McQueen de plusieurs longueurs, admit-il d'une voix rauque. Mais ne laissez pas ce succès vous monter à la tête. Que s'est-il passé d'autre, cette nuit-là, Tam ?

Un sourire hésitant aux lèvres, Tamara leva son regard vers lui.

— Vous êtes décidément un mufle, McQueen, affirma-t-elle, son rire se bloquant douloureusement dans sa gorge.

Il lui sourit à son tour, de la manière dont il l'avait fait dans la voiture cet après-midi, et qui avait le don de la retourner comme un gant. A travers ses yeux embués de larmes, elle le vit se pencher vers elle et prendre ses mains dans les siennes.

— Dites-le-moi, mon ange.

Tamara crut déceler une étrange pointe de souffrance dans sa voix.

— Dites-le-moi, et je promets de vous guérir.

— Oh, Stone.

Elle secoua la tête.

— Si seulement vous en aviez le pouvoir. Mais personne ne peut me guérir.

— Peut-être le fait de m'en parler vous soulagera-t-il au moins un peu, insista-t-il d'une voix douce. Vous vous êtes soûlée. Vous avez un peu perdu la tête. Et ensuite… qu'avez-vous fait ?

Ravalant ses larmes, elle soutint son regard sans ciller.

— Je me suis mise en quête d'un homme, et j'en ai trouvé un — un parfait inconnu, que j'ai emmené dans la suite matrimoniale, et que j'ai laissé me faire l'amour toute la nuit.

Elle eut un sourire tendu.

— J'ai toujours eu du mal à vivre avec ce souvenir, parce que, malgré l'étendue de ma honte, une part de moi…

Sa voix, son regard se firent hésitants, mais ses propos franchissant ses lèvres en un murmure étouffé, elle se força à poursuivre :

— Une part de moi a vraiment adoré ça, Stone.

11.

Allongée sur son lit, Tamara fixait l'obscurité, en se demandant quel démon l'avait poussée à raconter sa sordide aventure à Stone McQueen. Cela faisait une bonne heure qu'elle se posait cette question, depuis l'instant où elle en avait achevé le récit.

Elle avait alors espéré qu'il dise quelque chose, mais il n'avait pas prononcé un mot. La mâchoire crispée, Stone s'était contenté de regarder ses mains, toujours serrées autour des siennes.

« A quoi t'attendais-tu ? » grinça soudain une petite voix moqueuse dans sa tête. « A ce qu'il te donne l'absolution ? » Elle avait retiré ses mains, et il l'avait laissée faire, sans un regard pour elle tandis qu'elle quittait la cuisine. A ce souvenir, Tamara pressa ses paupières l'une contre l'autre.

Elle n'était pas assez stupide pour s'imaginer que ce qu'elle lui avait révélé l'avait blessé d'une quelconque manière, ni suffisamment naïve pour croire que sa confession l'avait choqué. Mais il la connaissait. Il savait que ce qu'une autre femme aurait pu accepter comme un regrettable mais innocent dérapage signifiait bien plus, pour elle. Or il n'avait même pas tenté de la réconforter.

Depuis le début, McQueen avait su lire jusque dans les zones les plus reculées de son âme. Il avait deviné ses doutes les plus terribles. Elle vivait depuis toujours avec le sentiment de ne pas pouvoir se faire confiance — avec l'idée que le chaos qui faisait rage autour d'elle lorsqu'elle luttait contre le feu s'était, d'une certaine manière, échappé d'elle. Un sentiment qui s'était confirmé, au matin qui avait suivi cette nuit de passion incontrôlable.

L'obscurité rougit sous ses paupières et son désespoir se mua en une colère sourde.

— Sortez de ma chambre, McQueen, rugit-elle.

Ouvrant brusquement les yeux, elle vit sa haute silhouette se détacher dans l'encadrement de la porte. Les larmes qu'elle n'avait pas encore eu le temps de verser enrouant sa voix, elle ajouta :

— C'est une des règles qui sévissent ici, ne l'oubliez pas.

— Je suis fatigué des règles, mon ange.

Il vint jusqu'à son lit. Il était pieds et torse nus, remarqua Tamara, avec une conscience soudain aiguë du fait qu'elle ne portait elle-même qu'une chemise de nuit légère sous ses couvertures. Stone abaissa son regard sur elle.

— Pas seulement des vôtres, dit-il, mais aussi des miennes.

Il fit un geste impatient de la main.

— Poussez-vous.

Avant que sidérée, elle ne recouvre sa voix, il se penchait déjà sur le lit pour s'y installer.

— Auriez-vous perdu la tête, McQueen ?

S'agenouillant brusquement, Tamara se redressa avec une raideur incrédule.

— Si vous *essayez* de vous glisser dans ce lit, je vous jure que vous le regretterez. Enfin, qu'est-ce qui vous prend ?

A l'instant où cette question franchissait ses lèvres, elle en devina la réponse.

— Vous croyez que les règles ont changé, tout à coup, c'est ça ? Que si je l'ai fait une fois avec un inconnu, je pourrais peut-être recommencer avec vous. Espèce de salaud !

Comme il la dévisageait sans répondre, elle ajouta :

— Ne comprenez-vous pas que je n'étais pas moi-même ?

Puis, approchant son visage à un centimètre du sien :

— Je ne connais même pas la femme qui a couché avec cet homme, et c'est ce qui m'horrifie le plus.

— C'est la femme qui pense encore à cette nuit-là que vous *refusez* de connaître, Tam.

Stone riva lentement son regard dans le sien. Dans l'éclairage du corridor, elle vit une lueur sombre y briller.

— Celle qui a aimé ce qu'ils ont fait ensemble, ajouta-t-il. Cette femme, c'est vous, Tamara.

Aveuglément, et pour la première fois de sa vie, Tamara leva la main sur quelqu'un. Mais Stone immobilisa son poignet à l'instant où la gifle allait s'abattre sur sa joue.

— Non, Tam. Pas ça.

Elle vit les muscles de son avant-bras se tendre tandis qu'elle tentait d'échapper à son étreinte. Au lieu de la lâcher, Stone amena lentement sa paume ouverte sur la barbe naissante de sa joue.

— La raison qui m'amène n'est pas celle que vous soupçonnez. J'ai simplement besoin de vous parler, d'être avec vous.

Tamara sentait la chaleur de son souffle sur sa peau. Il pencha la tête et déposa un baiser au creux de sa main avant de la libérer.

S'arrachant vivement à son étreinte, elle laissa alors les reproches se déverser de sa bouche :

— Vous m'avez laissée sortir de cette cuisine sans prononcer un mot, McQueen.

Elle était consciente de l'aigreur qui perçait dans sa voix.

— Et maintenant, vous venez m'accuser de renier une femme que je ne veux pas être, comme si c'était un tort. Sous prétexte de me réconforter, vous m'enfoncez en réalité un peu plus.

— C'est pour cela que je n'ai rien osé dire tout à l'heure.

L'inflexion de Stone se durcit.

— Mais bon sang, je vous connais, Tam. Vous refusez d'affronter l'idée que vous pourriez être une autre personne que la Tamara King qui reste assise des heures durant dans sa voiture, avec pour seul compagnon un paquet de Kleenex. Quant à cette autre femme…

Il s'interrompit et se redressant, passa une main impatiente dans ses cheveux bruns.

— Je peux vous guérir. Je peux vous faire tout oublier, et vous le savez. Si vous le voulez, je suis de l'autre côté du couloir.

Avait-elle vraiment espéré que Stone McQueen la réconforterait, se demanda Tamara avec une fureur incrédule. Elle avait dû perdre la tête. Avec l'impudence d'un vulgaire chat de gouttière, il était venu rôder jusque dans sa chambre, exhiber les muscles de son torse bronzé. Et après avoir prouvé qu'il n'avait rien perdu de sa rugosité habituelle, il s'était offert à elle en sa haute qualité d'étalon.

Et à présent, voilà qu'il quittait le navire, la laissant seule dans la tourmente. D'un geste brusque, Tamara rejeta ses couvertures et lança ses pieds hors du lit. Avant que Stone n'ait atteint la porte, elle le rattrapa et l'empoigna violemment par le bras, le forçant à se retourner.

— Allez-y, McQueen, s'écria-t-elle d'une voix tendue. Montrez-moi vos talents.

— Pardon ?

Cette mèche de cheveux bruns rebelle était une fois de plus retombée sur ses yeux. Stone secoua la tête pour l'en écarter.

— Que voulez-vous dire ?

— Oh, n'essayez pas de jouer les abrutis, ni les innocents, répliqua-t-elle sèchement. Cela vous va très mal. Vous savez parfaitement ce que je veux dire : puisque vous affirmez pouvoir me guérir de ce que j'ai ressenti avec cet homme, prouvez-le.

— Bon sang…

Il avait l'air perplexe.

— Là, ici ? Tout de suite ?

Tamara lui décocha un regard noir.

— Oui, McQueen.

Elle sentit les muscles puissants de son bras se raidir sous ses doigts et vit ses pupilles s'étrécir.

— Je ne pense pas que ce soit une bonne idée, mon ange, répliqua Stone à voix lente. Je doute que vous désiriez vraiment ce que je pourrais vous donner ce soir.

— Dans ce cas, faites en sorte que j'en aie envie.

Comme Stone commençait à se détourner, Tamara resserra l'étreinte de sa main autour de son bras.

— Vous vous dégonflez, c'est cela ? demanda-t-elle. Ce n'était que du bla-bla, hein, McQueen ?

Stone braqua son regard sur elle, avant d'éclater d'un rire bref.

— Ce n'est pas juste, protesta-t-il. J'ai la réputation d'être une véritable brute, mais en vérité, vous me battez à plate couture. Qu'est-ce que vous voulez, Tam ?

Tamara eut un mince sourire.

— Vous êtes bel homme. J'avoue qu'une ou deux fois, vous avez fait battre mon cœur un peu plus vite. Mais êtes-vous *vraiment* capable de me guérir ?

Elle inclina la tête pour mieux le jauger du regard.

— J'en doute. Parce que, quel qu'ait été ce fumier, il était fabuleux, McQueen. Et que dans ses bras, la femme que je me refuse à être — ainsi que vous l'affirmez — est devenue folle de plaisir.

Le flot de paroles qui se déversaient de sa bouche s'interrompit brusquement et un silence gêné s'installa entre eux. Tamara eut alors l'impression d'entendre son cœur dégringoler dans sa poitrine. Soudain, ce fut comme si seule la main qu'elle serrait autour du bras de Stone la retenait de vaciller sur ses jambes.

Il l'avait persuadée de s'ouvrir à lui, de lui communiquer ses émotions. Pourtant, dès le départ, elle avait su qu'elle maîtrisait mal ce genre de débordement.

Le résultat était là. Il l'avait contrainte à admettre que cette femme faisait encore partie d'elle.

Son pouvoir de destruction était allé trop loin, songea Tamara. Cette fois, il allait devoir assumer les conséquences de ses actes.

— Je n'ai réussi à gérer ce souvenir qu'en me persuadant que jamais plus je ne me comporterais de la sorte, dit-elle.

Se rendant compte qu'elle continuait d'étreindre le bras de Stone, elle le lâcha avant de continuer :

— Avant cela, je ne crois pas avoir jamais bu plus d'un ou deux verres de cidre d'affilée. Or dès mon arrivée à ce simulacre de réception, j'ai ingurgité des litres de champagne comme s'il s'agissait d'eau minérale. Ce qui fait que je me suis toujours dit que c'était le chagrin et l'alcool qui m'avaient poussée à me comporter de manière aussi inconsidérée. Ce qui, dans une certaine mesure, est vrai.

Tamara pressa ses paupières l'une contre l'autre.

— Je n'ai même pas vu le visage de cet homme. A un moment de la soirée, je suis allée aux toilettes, et me suis perdue dans le dédale des couloirs. Je me suis retrouvée dans un des bars de l'hôtel — un genre de cave obscure. J'étais tellement soûle, que je me suis effondrée sur la banquette la plus proche. Avec ma robe de mariée, je devais attirer les regards comme un phare. Lorsqu'une voix masculine m'a demandé ce que je buvais, j'ai compris que quelqu'un était attablé en face de moi. A ce moment-là, la tête me tournait déjà violemment.

Tamara rouvrit les yeux sur le torse dénudé de Stone. Il semblait dur, compact. La lueur provenant du couloir dessinait les lignes puissantes de ses muscles, et les ombres de la chambre muaient en un sombre et mystérieux triangle la fine toison noire qui descendait jusqu'à sa ceinture.

Elle cligna des yeux avant de poursuivre à voix basse :

— Je me souviens lui avoir répondu que je voulais du champagne, que j'étais ivre, et que cela me plaisait. Il a affirmé que lui aussi appréciait cet état, mais que je ferais peut-être mieux de rejoindre mon époux. A ces mots, j'ai complètement craqué.

— Vous lui avez expliqué ce qui vous était arrivé, suggéra McQueen d'une voix blanche.

Tamara acquiesça d'un hochement de tête.

— Et puis j'ai fondu en larmes, et il a offert de me raccompagner jusqu'à ma chambre. Ensuite, je me revois, allongée sur un grand lit recouvert de satin blanc, avec cet homme, dressé devant la porte, prêt à s'en aller.

— Quel héroïsme !

Cette fois, elle crut percevoir une émotion dans la voix rauque de Stone, qui ressemblait à de la colère.

— Dommage qu'il n'ait pas suivi sa première et noble impulsion, fit-il remarquer.

— C'est moi qui l'en ai empêché, grinça Tamara. Je me rappelle lui avoir dit que j'avais déjà été rejetée par un homme ce jour-là, et que je ne supporterais pas qu'on se détourne de moi une deuxième fois. Je lui ai demandé ce qui me rendait si peu désirable, puisque personne ne semblait vouloir de moi. Puis je me suis remise à pleurer. Je n'ai arrêté que lorsqu'il m'a prise dans ses bras et m'a embrassée dans le noir. Dès qu'il l'a fait, ça a été comme si…

Tamara s'interrompit. Elle entendit Stone prendre une brève inspiration.

— Comme si ?

— Comme s'il avait allumé en moi quelque chose d'insensé, dit-elle d'une voix rauque. Mon Dieu, McQueen, il m'a fait des choses que je n'aurais jamais osé imaginer. Pour finir, je me suis endormie dans ses bras, repue et entièrement satisfaite. Juste avant l'aube, m'a-t-il semblé, je me suis réveillée. Je me souviens avoir remercié le ciel qu'il fasse encore nuit.

Elle se rappelait également certains autres détails. La sensation de cette jambe contre la sienne, les battements calmes de ce cœur sous sa paume. Jamais auparavant elle ne s'était réveillée entre les bras d'un homme. Jamais elle ne s'était sentie aussi protégée, aussi en sécurité. Une main contre sa nuque, il retenait sa tête enfouie dans son cou musclé. Avec un petit soupir, elle avait refermé les yeux et s'était imprégnée de l'odeur de sa peau.

Pour rouvrir aussitôt les paupières avec effroi. Les yeux écarquillés dans l'obscurité, elle avait distingué la blancheur du satin échoué au sol. Tout lui était alors revenu comme dans un flash — le mot laissé à son intention par Claudia, la réception dont elle s'était enfuie, l'inconnu qu'elle avait abordé sans le vouloir. Avec une clarté fulgurante, l'érotisme des heures qui venaient de s'écouler avait resurgi de sa mémoire, tandis qu'une terrible vague de honte la submergeait.

Elle s'était entendue protester faiblement, tout en s'insurgeant contre les bras puissants qui la retenaient prisonnière. Durant une fraction de seconde, elle avait senti leur étreinte se resserrer autour d'elle, et avait cru sentir la main enfouie dans ses cheveux les caresser doucement. L'espace d'un instant, sa panique l'avait complètement désertée. Pour revenir à la charge, tandis que sa plainte désespérée se muait en une acerbe auto-accusation.

Elle ne se rappelait plus, à présent, de tout ce qu'elle avait dit, son regard enfiévré braqué sur le triangle de poils drus qui séparait en deux le torse de l'inconnu. Elle se souvenait seulement l'avoir supplié de partir — de s'en aller. L'avoir imploré de ne jamais répéter à personne ce qui venait de se passer. Elle avait dit vouloir jusqu'à en gommer le souvenir de sa mémoire.

Sans qu'il prononce un mot, elle avait alors senti la main de l'homme frôler ses lèvres comme pour interrompre le flot hystérique qui s'en déversait. Il s'était levé et s'était habillé dans le noir. Puis, avec une extrême douceur, il avait posé ses doigts sur ses paupières.

Dans un murmure, comme s'il s'était parlé à lui-même, il avait alors dit les seules paroles qu'elle se souvînt l'avoir entendu prononcer dans cette chambre.

— Votre fiancé est un imbécile. Mais je le suis plus encore.

Une heure environ après qu'il l'ait laissée seule, elle s'était levée à son tour. Détournant le regard de la robe blanche qui gisait au pied du lit, elle avait vacillé sur ses jambes jusqu'à la douche, réglé la chaleur de l'eau au maximum supportable, et était restée sous son jet, jusqu'à ce que les sanglots s'épuisent.

— Vous comprenez maintenant, pourquoi je doute que vous puissiez me guérir, McQueen, murmura Tamara.

Levant la main, elle suivit du bout du doigt la ligne sombre qui séparait ses pectoraux. Elle l'entendit prendre une brusque inspiration et leva les yeux vers lui. Ses traits étaient aussi figés que ceux d'une statue.

— Et je vous en veux d'avoir réveillé mes souvenirs, ajouta-t-elle.

Les lèvres de Stone bougèrent à peine lorsqu'il déclara :

— Cela, je le savais.

Tamara soutint son regard un moment de plus. Elle ne pouvait lui tenir rigueur, se dit-elle alors, de ne pas être celui que, l'espace d'un instant, elle aurait désiré qu'il soit. Rechercher la guérison auprès d'un être dont les propres blessures étaient si profondes était une erreur grossière.

Une erreur qu'elle ne commettrait plus. Se détournant de lui, elle se dirigea vers son lit.

— Il est tard, dit-elle, et cette conversation est terminée.

— Ce ne sont pas les termes de notre marché. Et vous avez raison. Si je n'essaye pas au moins une fois, ce n'aura été que des parole en l'air, Tam.

— De quel marché… Oh, bon sang, s'exclama Tamara.

Une profonde incrédulité perçait dans sa voix.

— Vous plaisantez.

Elle vit les sourcils de Stone se froncer.

— Les plaisanteries ne sont pas mon fort, mon ange. C'est une autre de mes lacunes. Je ne suis pas très drôle, je suis nul en matière de sociabilité, et mes talents culinaires semblent avoir baissé. De plus, comme vous l'avez dit, je suis sans doute un amant lamentable.

Il haussa les épaules, puis vint vers elle.

— Il y a donc de fortes chances pour que vous m'éjectiez de votre lit en l'espace de deux ou trois minutes.

— Essayez *seulement* d'approcher, McQueen, menaça Tamara.

— Allez, Tam, juste un baiser. Je serai peut-être incapable de vous guérir, mais voyons si j'arrive à vous faire oublier combien vous me détestez en cet instant. Si je n'y parviens pas, tant pis.

Elle le dévisagea d'un œil glacial.

— Cela m'étonnerait. Mais puisque nous en parlons, que se passera-t-il si vous y arrivez ?

Stone lui décocha un bref sourire.

— C'est vous qui jouez les abruties, à présent.

Tamara se raidit et son regard s'étrécit.

— Bon. D'accord pour un baiser. Faites basculer mon univers, McQueen.

— J'en ai bien l'intention, affirma Stone en l'attirant à lui.

Lorsqu'il l'avait embrassée l'autre soir, son baiser n'avait pourtant été ni subtil ni hésitant. Mais cette fois, avant même que ses lèvres ne se posent sur les siennes, Tamara sut que Stone McQueen renonçait *complètement* à contrôler son ardeur. Elle entrouvrit la bouche, mais déjà celle de Stone la recouvrait, et ses protestations restèrent bloquées dans sa gorge.

Il y introduisit sa langue, et Tamara comprit aussitôt ce qui se passait.

L'électricité dégagée par leur antagonisme venait de trouver un canal dans lequel s'engouffrer. Et une fois leurs attentes mutuelles réduites à l'essentiel, McQueen ne s'inquiétait plus de savoir si ce qui restait était ou non trop basique.

Tamara appliqua une paume sur son torse, avec l'impression de s'appuyer à un mur de béton.

Dans son métier, elle se devait de répondre aux mêmes exigences que ses collègues de sexe masculin. Elle s'était habituée à pousser dans l'escalier des colosses qui le montaient un peu trop lentement, et à ne voir aucune différence entre elle et ces gaillards. Elle n'était pas fragile, ni impuissante face au danger. Elle n'était pas non plus femme à le prétendre.

Ce qui expliquait que l'idée d'être enlevée contre son gré dans les bras de Rhett Butler, dans le grand escalier de Tara, ne figurait pas au nombre de ses fantasmes. Si ç'avait été le cas, elle aurait été trop consternée pour l'admettre, se dit Tamara dans un vertige. Plus aucune femme ne rêvait de cela. Celles d'aujourd'hui voulaient des amants à la douceur subtile. Elles les voulaient accommodants, suffisamment attentionnés pour arrondir les angles les plus abrupts de leur virilité.

Aurait-elle un problème ? se demanda alors Tamara avec stupéfaction.

Parce qu'elle *aimait* sa force virile. Elle aimait sentir les muscles durs de ses bras l'enlacer. Comme elle aimait le fait qu'en cet instant, rien en lui ne cède ni ne s'accommode. Et elle savourait le frisson d'excitation qui la parcourait à l'idée qu'il ne lui viendrait jamais à l'esprit de s'excuser d'être un homme à la virilité exacerbée.

Evinçant le reste de ses inhibitions, Tamara se laissa aller contre lui, et ses doigts se resserrèrent contre son torse. Détachant ses lèvres des siennes, il parcourut son cou de ses lèvres enfiévrées, jusqu'à ses épaules.

Un puissant désir monta alors en elle.

Et Stone McQueen fit entièrement basculer son univers.

12.

Tamara retint un gémissement tandis qu'une chaleur soudaine l'envahissait tout entière. Parcourue d'un chatouillement délicieux jusqu'au bout des orteils, elle se sentit soulevée de terre dans les bras de Stone. Dans un brouillard, elle croisa son regard anthracite, à demi dissimulé sous le voile épais de ses cils.

Sa chemise de nuit — par bonheur la moins affreuse qu'elle possédât, rose pâle et fermée par de petits boutons sur le devant — était à présent remontée jusqu'en haut de ses cuisses, et elle devinait que de dos, son intimité devait être plus exposée encore.

Elle frémit en sentant sous ses fesses les avant-bras musclés de Stone qui affirmaient leur emprise. Le doute qui l'étreignait se mua alors en certitude.

— J'ai eu mon baiser, dit-il. A présent, la balle est dans votre camp.

Sa voix était tendue.

— J'ai envie de vous voir me chevaucher, ma belle, envie de voir ces jambes superbes s'enrouler autour de moi, envie de vous pénétrer. Je veux sentir ma raison me déserter, je veux avoir la preuve que je suis celui que vous attendiez. Mais c'est à vous, et à vous seule, d'en décider.

A ces mots, Tamara sentit un désir brûlant la submerger, tandis qu'un foisonnement d'images prenait d'assaut son imagination

— des images qui commençaient par les mouvements audacieux qu'il venait de décrire, et les poussaient jusqu'aux limites du possible. Décidément, McQueen lui réservait plus d'une surprise, se dit-elle en se mordant les lèvres, parcourue tout entière d'un frisson de désir. S'il avait employé un langage un tant soit peu plus cru… Incapable de prononcer le moindre mot, elle plongea son regard dans le sien.

— Je crois en avoir décidé à l'instant où je vous ai vu, avoua-t-elle d'un ton mal assuré. J'ai tenté de me persuader que vous représentiez tout ce que je n'aimais pas. Que vous étiez trop viril. Trop agressif. Un véritable volcan en éruption. Ce que je vous soupçonne d'être dans un lit, McQueen.

Tamara prit une brève inspiration avant d'ajouter dans un murmure :

— Mais dans un lit, je pense que cela me plairait.

— Vous croyez ? demanda Stone d'une voix rauque.

Avec une aisance déconcertante, il la déposa doucement sur le lit et, glissant ses cuisses entre les siennes, s'agenouilla au-dessus d'elle. Son expression, dans la pénombre, était indéchiffrable.

— Dès le premier regard, j'étais moi aussi prêt à vendre mon âme pour passer une seule nuit avec vous, mon ange.

— Eh bien, il fait nuit, Stone, et nous voilà dans un lit.

D'un geste lent, Tamara défit le premier bouton de sa chemise de nuit.

— Etes-vous certain de ne pas l'avoir vendue, cette âme ?

— J'ai bien peur que si. Mais peut-être pourriez-vous m'aider à la retrouver ?

L'inflexion de Stone se fit plus brutale.

— Sauf que pour l'instant, j'ai juste envie de vous regarder faire ce que vous êtes en train de faire.

— C'est-à-dire ? souffla Tamara, tout en faisant sauter deux boutons supplémentaires, son regard rivé au sien.

— Un strip-tease.

C'était *exactement* ce qu'elle était en train de faire, songea Tamara, tout en défaisant un autre bouton. Elle vit un muscle de la mâchoire de Stone tressaillir.

C'était *lui*.

Elle en avait eu la soudaine certitude, tout à l'heure, au Red Spot, se dit-elle, fascinée par la façon dont il observait chacun de ses mouvements. Une certitude qui n'avait pas manqué de l'effrayer. Elle lui avait alors jeté son passé à la face, de toutes ses forces, afin de se prouver qu'elle ne pouvait pas lui faire confiance.

Mais son stratagème n'avait pas fonctionné, parce qu'il était l'unique — le seul homme en face de qui elle pouvait se dévoiler, le seul à qui elle pouvait se fier, celui qu'elle attendait depuis toujours. Elle n'avait jamais rien ressenti de tel avec Rick. C'était comme si Stone et elle avaient été amants en un autre temps, ailleurs, et qu'ils reprenaient leurs ébats là où ils les avaient interrompus, une ou deux vies auparavant. Quant à l'homme qui avait fait pour elle office d'époux le soir de sa nuit de noces, la sauvage intimité qu'elle avait partagée avec lui n'avait été distillée que par l'alcool ingurgité pour noyer son chagrin.

Mais Stone McQueen était l'élu. L'homme auprès duquel elle pouvait être femme — sans complexes, ni hésitation. Passionnément. Elle n'était pas ivre, pourtant, elle sentait quelque chose d'aussi pétillant que le champagne couler dans ses veines.

— La patience n'est pas votre première vertu, Stone, murmura-t-elle en faisant lentement glisser ses doigts jusqu'au bouton suivant. Voilà une excellente occasion de vous en enseigner les rudiments.

— J'ai toujours rêvé de devenir plus vertueux, mon ange, répliqua Stone d'une voix rauque.

Comment faisait-il ? Intensément troublée, Tamara fit glisser ses doigts un peu plus bas et deux autres boutons cédèrent. Comment parvenait-il à donner à sa voix ce charme masculin, ô combien dangereux ? Devinait-il seulement l'effet que cela lui faisait ?

D'un coup sec, elle tira sur sa chemise de nuit. La rangée de boutons céda jusqu'à sa taille. Tamara vit le regard de Stone s'assombrir.

Ses genoux enserrant toujours ses cuisses, Stone croisa sagement les mains comme pour les tenir occupées.

— Dans mon rêve de la nuit dernière, vous étiez plus conciliante, ma belle. Vous me laissiez tenir vos seins au creux de mes mains, et les caresser à satiété. Vous me suppliiez d'en lécher la pointe parfaite, et lorsque j'ai obéi, vous avez enfoncé vos ongles dans ma chair. Vous étiez plutôt du genre chatte sauvage dans mon rêve, à tel point que quand je me suis éveillé, je m'attendais à voir la marque de vos griffes sur ma peau.

— Ce n'était qu'un rêve, Stone.

Puis agrandissant les yeux avec candeur :

— Mais dites-m'en plus. Que s'est-il passé, ensuite ?

— Ensuite, vous avez lentement fait glisser la fermeture Eclair de mon pantalon.

— C'est... cela fait effectivement partie des règles du jeu.

Pas étonnant que sa voix soit mal assurée, nota Tamara, avec l'impression que les flammes du désir léchaient une à une les différentes zones de son corps. Elle posa une main nerveuse sur la fermeture Eclair de Stone.

— Oh.

Avant qu'elle ne puisse le retenir, un petit cri étouffé franchit ses lèvres. La bouche encore entrouverte par la surprise, elle leva vivement le regard sur lui.

Elle avait pensé aimer sa puissance et son agressivité, dans un lit. Elle venait d'obtenir la preuve que le premier de ces deux termes se justifiait dans le cas de Stone... de manière plus que satisfaisante. Et le désir de sentir cet homme en elle se fit plus pressant, cet homme dont elle excitait si fort le désir, aussi...

— Je rends les armes, marmonna-t-il en enserrant brusquement sa taille. Vous avez gagné. Mais vous avez triché.

— Vous n'apprendrez jamais la patience, McQueen, répliqua Tamara avec défi.

En guise de réponse, et sans qu'elle ait le temps le temps de deviner ses intentions, Tamara se sentit soulevée du lit, et Stone la reposa devant lui, à terre, agenouillée. Elle aperçut le reflet de leurs deux corps dans le miroir de la penderie.

— C'est à votre tour de regarder, annonça Stone en suivant son regard.

Sans la lente hésitation qu'elle y avait mise, presque avec brutalité, il saisit les deux pans de sa chemise de nuit. D'un mouvement impatient, il fit glisser le tissu sur ses épaules, ses bras. Le reste des boutons céda. La chemise se sépara en deux pour retomber sur les coussins derrière elle.

En l'espace d'un battement de cils, il l'avait entièrement déshabillée, et elle était là, nue, offerte, devant lui. Son regard stupéfait revint du miroir sur le visage de Stone. Il la contemplait comme un aveugle à qui l'on vient de rendre la vue.

— Tu es si belle, dit-il dans un souffle.

Il approcha ses mains tremblantes de ses seins, puis fit lentement glisser ses pouces jusqu'à en frôler la pointe durcie, avant de faire redescendre ses paumes le long de ses côtes, de sa taille, jusqu'à la naissance de ses hanches.

Ne devait-elle pas manifester un semblant de pudeur ? Essayer de conserver ne serait-ce qu'une infime part de réserve ?

N'était-ce pas un péché que de se montrer aussi conciliante ?

Mais saurait-elle jamais qui était la Tamara passionnée, celle qui s'offrait sans concession, si elle faisait machine arrière maintenant ?

Allongée, elle entrouvrit les jambes et leva langoureusement les bras pour remonter la masse enchevêtrée de ses cheveux au sommet de sa tête. Lui glissant un regard coquin, elle vit sa pomme d'Adam réagir à ce spectacle. Il retenait son souffle.

— Vous êtes une vilaine fille, Tam.

Sa voix était rauque.

— Vous savez très bien l'effet que cela me fait.

Tout en parlant, il abaissa son visage vers elle, ses mains fermées sur ses seins, caressant leur galbe, agaçant les tétons dressés entre ses doigts… Mais au lieu de les prendre dans sa bouche, comme elle s'y attendait, Stone traça un sillon humide de sa langue sur son ventre brûlant… Et Tamara sentit un spasme délicieux au plus profond d'elle-même lorsqu'il descendit plus bas encore, au cœur de la toison enfouie entre ses cuisses. Une chaleur pareille à celle du métal en fusion flamba alors dans ses veines.

Ployant sous les ondes du plaisir, elle laissa sa chevelure retomber et plongea une main dans la soie drue des cheveux de Stone. De son autre main posée sur sa bouche, elle retint le gémissement qu'elle sentait monter en elle. La langue de Stone descendit plus bas encore ; elle la sentit s'immiscer au cœur de son intimité.

Avec une infinie douceur, il approfondit son enivrante caresse et la prit doucement dans sa bouche, tandis qu'en un mouvement hypnotique, sa langue s'aventurait plus avant, jusqu'à trouver le point sensible qu'ils cherchaient.

— Oh… C'est si bon… Non, haleta Tamara. Oh !… C'est trop, Stone, arrêtez.

Il releva la tête et son regard rencontra le sien.

— C'est exactement ce que je veux, que ce soit trop pour vous… J'aime tant te goûter, Tam…

Sans attendre sa réponse, il enfouit de nouveau son visage entre ses cuisses, et cette fois, lorsqu'elle y sentit les mouvements circulaires de sa langue, elle ne tenta plus de retenir le râle qui montait de sa gorge. Soudain, c'était comme si le reste de son corps n'existait plus que pour ressentir le plaisir que lui offrait Stone. Elle gémit, et son corps s'arc-bouta sous les spasmes de la jouissance.

Les sensations brûlantes qui montaient en elle fusionnèrent tout à coup en une extase fulgurante tandis qu'elle criait le nom de Stone qui s'était redressé pour la serrer contre lui.

Un long frisson la parcourut, puis un autre, comme autant d'ondes de choc.

— Tamara, mon ange, ma belle, Tamara, ma chérie…

Ces paroles rauques murmurées à son oreille semblaient l'envelopper tout entière. Elle sentit la main hésitante de Stone repousser les cheveux retombés sur ses paupières closes.

— Vous êtes la perfection faite femme.

Il ne pouvait s'agir de Stone McQueen, décida Tamara dans un brouillard — du McQueen rude et abrasif qu'elle connaissait. L'homme qu'elle avait en face d'elle semblait avoir découvert le secret de son cœur, et être déterminé à le conserver comme un trésor. Elle ouvrit lentement les yeux.

Son regard rencontra celui de Stone, et elle sentit son cœur s'arrêter le temps d'un battement.

— J'ai… crié trop fort.

C'était la première pensée qui lui soit venue à l'esprit, une pensée idiote, mais qu'elle n'éprouva aucune gêne d'avoir exprimée. Portant une mèche de cheveux roux à ses lèvres, Stone répliqua :

— J'adore vous faire crier.

Tamara sentit un nouveau frisson la parcourir et feignit de le frapper au torse.

— Vous m'avez rendue folle, dit-elle d'une voix douce. J'ignorais que cela pouvait exister.

Il se pressa contre elle et elle le sentit se durcir plus encore. Desserrant les poings, Tamara laissa ses doigts descendre le long des côtes de Stone, de son ventre aux muscles durs, jusqu'à la ceinture de son pantalon de treillis.

Comme elle en défaisait le bouton d'un coup sec, elle l'entendit prendre une brusque inspiration.

— Quel goût avais-je donc, Stone ?

Ses doigts dénichèrent la languette de la fermeture Eclair. Consciente de la pression qui s'exerçait contre les dents métalliques, elle vit le regard de Stone se voiler tandis qu'elle l'abaissait lentement de quelques centimètres.

— Celui du jasmin, répondit-il d'une voix rauque. Un goût de jasmin… qui m'obsède.

Le romantisme inattendu de sa réponse la désarma. Et le fait que ces mots sortent de la bouche d'un homme considéré par tous comme un véritable dur à cuire acheva de la conquérir.

Elle referma la paume sur le renflement qui tendait l'épais coton du treillis…

— Non, Tam, arrête. Je n'en peux plus.

Ce gémissement sourd semblait avoir été comme arraché à la gorge de Stone. Détachant son regard de la preuve évidente de son désir, Tamara observa ses paupières closes dans la pénombre, les lèvres qui venaient de lui faire connaître l'extase, la fine couche de sueur qui soulignait les muscles puissants de son cou et de ses épaules.

— C'est justement ce que je veux, répliqua-t-elle.

Sa voix résonna à ses propres oreilles comme un feulement, et Tamara sentit un frisson de désir la saisir, au plus près du centre de son être.

— Viens, McQueen. Je te veux en moi, maintenant.

Ses doigts se refermant une fois de plus sur la languette de la fermeture Eclair qu'elle fit glisser avec précaution, elle sentit les doigts de Stone s'enfoncer dans la chair de ses épaules. Comme elle penchait la tête pour arriver à ses fins, ses cheveux caressèrent son ventre musclé.

Elle l'entendit alors prendre une inspiration entre ses dents, et perçut le frisson qui le traversait. Si Stone McQueen avait le pouvoir de la faire fondre, elle avait, se dit Tamara avec une soudaine férocité, celui de l'amener jusqu'aux limites du supportable. A partir de cet instant, où qu'ils soient et quoi qu'ils fassent, elle saurait *où* se trouvait son point faible. Et dès qu'elle en aurait envie, elle pourrait le lui rappeler, d'un simple coup d'œil.

La fermeture Eclair s'ouvrit en force. Elle baissa le pantalon pour saisir son sexe ; elle le tenait à présent entre ses mains refermées... et le caressait, tremblante, avalant sa salive, et comme hypnotisée. Elle posa les yeux sur la toison sombre qui, depuis la naissance de ce membre impressionnant, émergeait de l'ouverture tendue du treillis.

— Ça... ça ne va pas pouvoir fonctionner, Stone, protesta-t-elle dans un souffle.

Il l'étreignit doucement, et referma ses bras sur elle.

— Me fais-tu confiance ?

Sa question était laconique, comme si le seul fait de parler représentait un risque potentiel.

— Je te jure que je ne te ferai pas mal, mon ange.

Tamara leva vers lui un regard incertain, qu'il soutint sans ciller.

Ses caresses avaient été d'une telle douceur qu'elle se demanda si elle devait craindre de recevoir en elle ce sexe d'homme impressionnant...

Avec la sensation soudaine qu'une pluie d'étincelles allait s'abattre sur eux comme des fragments d'étoiles, et faire monter la fièvre au-delà du degré autorisé, Tamara bascula légèrement en avant. Mais Stone la retint d'une main ferme.

— Allez-vous me transformer en brasier, Stone ? murmura-t-elle en se sentant vaciller.

— Oui, mon ange, je te promets que tu vas t'embraser.

Sa voix était rugueuse et brute comme du papier de verre.

— Nous allons nous embraser tous les deux, ma chérie. Et tu vas adorer cela.

— Alors, oui, chuchota Tamara. Je le veux, Stone.

Le regard de Stone chercha le sien, puis, sans la quitter des yeux, il s'écarta du lit, et ôta son pantalon tout en interrompant son geste, le temps de sortir un préservatif de sa poche arrière.

Après avoir repoussé une mèche rebelle, il porta le sachet à sa bouche et le déchira d'un coup de dents, avec un sourire carnassier.

— Je préférerais te sentir tout à moi... Mais je veux t'éviter toute inquiétude ce soir.

Elle n'était pas inquiète. En fait, elle lui était reconnaissante d'avoir été prévoyant.

— Vous avez toujours un préservatif sur vous, au cas où ? demanda-t-elle avec une pointe de jalousie que par bonheur, Stone ne sembla pas déceler.

— Depuis l'enthousiasme de mes quatorze ans, et jusqu'à il y a sept ans, oui, répondit-il. Je m'en suis de nouveau muni il y a deux jours de cela, mais tu peux rentrer les griffes : car ce n'est pas parce que j'ai soudain trouvé Chandra ou qui que ce soit d'autre attirante, ajouta-t-il d'un ton amusé.

Il avait donc perçu sa jalousie ! Tamara redressa le menton d'un air de défi.

— Tant mieux pour vous, McQueen. Car sachez que je suis très jalouse.

— Sache que je le suis également, répliqua-t-il d'une voix posée, tandis qu'il mettait en place le préservatif. Je suis même jaloux de tes souvenirs, Tamara. Voyons donc si je peux les faire disparaître...

Et glissant les mains sous le bassin de Tamara, il la souleva et l'attira contre lui. Les lèvres entrouvertes par la surprise, elle noua instinctivement les jambes autour de sa taille, glissant les bras autour de son cou.

Après le moment qu'ils venaient de vivre, elle pensait que plus rien ne la ferait rougir. Mais cette posture semblait si impudique : ses seins, épanouis contre son torse, l'intérieur de ses cuisses, collé au bas-ventre de Stone… En réajustant son équilibre, elle sentit la dureté de sa virilité pressée contre elle.

Jamais elle n'aurait pensé faire l'amour dans une position si osée, songea Tamara, troublée. Sans doute était-ce impossible, d'ailleurs, avec un homme qui n'aurait pas la puissance physique de Stone.

Mais lui ne semblait nullement ployer sous l'effort. Elle rejeta la tête en arrière et aperçut le reflet fugitif de son image dans le miroir.

La lumière qui filtrait du couloir lui permit de discerner le désir qui assombrissait le regard de Stone — un désir mêlé à un autre sentiment qu'elle mit un instant à identifier.

— N'ai-je pas déjà réussi à te faire un peu oublier le passé ? demanda-t-il.

Cet autre sentiment, c'était de la douleur. Oui, une douleur qui semblait étrangler sa voix rauque et qui la bouleversa.

— Je veux que ce soit comme si c'était la première fois, mon ange. La première fois que tu te donnes à un homme — parce que moi, je pense à toi comme à la première et unique femme de ma vie. Comprends-tu cela ?

Il semblait ivre de désir, et ses yeux brillaient d'un sombre éclat. Il la voulait, maintenant, pour lui, et pour lui seul. Soudain, il la souleva légèrement. Tamara plongea son regard dans le sien et se laissa aller, avec la conscience aiguë que la pression qu'il exerçait entre ses cuisses écartées s'était faite plus intense.

Il était sur le point de la pénétrer. Elle eut peur… elle n'allait pas pouvoir l'accueillir en elle. Fermant brusquement les yeux pour lutter contre la panique qui l'envahissait, Tamara sentit la bouche de Stone se poser sur la sienne.

— Détends-toi, murmura-t-il. Je m'occupe de tout.

— Vous êtes si macho que ça en devient sexy, McQueen, chuchota Tamara. Allez-y. Occupez-vous de moi.

Il l'embrassa si passionnément, lui prodigua des caresses si lascives avec sa langue, tandis que ses mains allaient et venaient sur ses cuisses, qu'en un instant, toute peur disparut… Tamara se laissa inonder encore et encore par le désir, pour s'ouvrir à son assaut brûlant. Ses dents mordillaient sa lèvre inférieure tandis qu'il commençait à bouger en elle. Il fit glisser le poids de son corps un peu plus bas, et elle s'offrait entièrement, s'ouvrait pleinement à lui.

Resserrant l'étreinte de ses bras autour du cou de Stone, elle étouffa le petit cri qui venait de lui échapper. Il s'immobilisa un instant, avant de remonter un peu plus profondément en elle. Elle sentait son intimité se dilater toujours plus pour l'accueillir, jusqu'à ce que la pression devienne insupportable. Son souffle se fit haletant contre la bouche de Stone. Les mèches de cheveux roux qui retombaient sur son visage étaient collées à sa peau par la sueur. De nouveau, elle mordit sa lèvre, mais cette fois, elle ne lâcha pas prise.

Rien d'autre n'existait que ce goût de sel dans sa bouche et l'homme qui bougeait en elle. Elle le sentit l'emplir entièrement, puis s'immobiliser.

Il était en elle. Elle l'encerclait tout entier. Il était *à* elle.

Elle laissa échapper un long soupir.

Une chaleur intense montait, tournoyait au plus profond d'elle-même ; et soudain, le feu sembla se déverser en cascade entre ses cuisses ouvertes. Une chaleur qui enflamma le bout durci de ses seins, embrasa sa poitrine enflée par le désir. Tamara sentit les muscles de Stone se durcir contre elle et sa peau glisser contre la sienne. Elle ouvrit les yeux et vit son regard inquiet.

— Je t'ai fait mal, mon ange, dit-il dans un souffle.

— Non, oh, non…

Il lui sourit et, emporté par le désir de la combler, la ramena sur lui.

— Tout le monde va savoir, ajouta-t-il, que l'indomptable McQueen courbe l'échine devant un dragon à tête rouge.

— Je parie que cette idée te ravit, observa Tamara d'une voix haletante, tandis qu'il allait et venait entre ses cuisses.

Elle vit les cils de Stone s'abaisser brièvement tandis qu'il acquiesçait dans un souffle.

Cette fois, il la posséda avec plus de force encore. Elle gémit, comblée. Il avait promis d'embraser tout son être. Il avait dit qu'elle brûlerait comme un brasier.

A chaque coup de reins, elle sentait la fièvre en elle s'intensifier, le plaisir l'envahir plus avant. Elle rejeta en arrière sa tête soudain trop lourde, et la masse humide de ses cheveux caressa son dos en sueur.

— Regarde-toi, mon ange.

La voix de Stone était si étouffée qu'elle en était presque inintelligible.

— Tu es la sensualité même, avec tes jambes ouvertes, tes cheveux collés à ta peau humide et ces fesses si douces, si soyeuses. Regarde comme nous sommes faits l'un pour l'autre.

A travers ses paupières mi-closes, Tamara glissa un regard en direction du miroir. Tout contrôle la désertant, elle sentit alors le feu du plaisir se déchaîner en elle.

L'image renvoyée était celle d'un homme à la carrure massive, aux muscles lourds et brillants dans la pénombre, au regard assombri par le désir. Les lèvres entrouvertes, les jambes nouées autour de lui, la chevelure libre et sauvage, la femme qu'il tenait dans ses bras semblait libérée de toute inhibition.

C'était l'effet que Stone produisait sur elle, se dit Tamara à bout de souffle. Et c'était en retour ce qu'*elle* lui faisait. Elle était l'objet total de son désir, la source du feu qui le consumait. Avec chaque fois plus de force, plus de dureté, plus de virilité, il continuait de se mouvoir en elle. Elle enfonça cruellement ses ongles dans la chair de ses épaules. A l'instant où tout devint noir, elle entendit sa voix, rauque et basse :

— C'est la toute première fois, mon ange.

Elle sentait ses cils caresser sa joue.

— Quoi que j'aie pu faire avant, pour moi, c'est la première fois.

Tamara hocha silencieusement la tête, sentant qu'elle allait perdre conscience.

— Dis-le-moi, supplia-t-il. Dis-moi que c'est la première fois pour toi aussi, Tam.

— Tu es le seul homme à m'avoir fait ça, Stone, parvint à murmurer Tamara. Pour moi aussi, c'est la première fois.

Elle vit les ombres de son regard s'éclaircir, la tension de ses traits se relâcher. Il approcha sa bouche de la sienne et elle sentit la chaleur de son souffle sur ses lèvres.

— Je veux prendre ta bouche au moment où je te sentirai jouir, pour jouir avec toi, chérie, dit-il d'une voix rauque. Je veux te prendre entièrement… Je suis tombé amoureux de toi à l'instant où je t'ai vue. Tu le sais, n'est-ce pas ?

A ces mots, Tamara ouvrit brusquement les yeux. Mais avant qu'elle n'ait le temps de prononcer un mot, elle sentit sa tête se rejeter en arrière sous la force de son baiser, les mains de Stone s'enfoncer frénétiquement dans sa chair. Il fit glisser son ventre contre le sien, s'enfonçant en elle plus profondément que jamais.

Elle eut alors l'impression qu'un feu la dévorait — consumant tout en elle, pour ne laisser que l'essence même de son être, celle de l'homme qui était en elle, et les flots de plaisir pur qui les soulevaient simultanément. Ils venaient de s'envoler vers le soleil, songea Tamara en un éclair de folie. C'était la seule explication à l'intense chaleur et à la lumière qui la remplissait et les enveloppait. Ils s'étaient envolés vers le soleil, mais elle n'avait pas peur, parce que Stone était avec elle, et qu'il la ramènerait sur terre, saine et sauve…

Ce fut des heures plus tard, lui sembla-t-il, qu'une ultime onde la parcourut, et que Tamara poussa un dernier gémissement. Quand enfin, elle ouvrit les paupières, elle vit celles de Stone, toujours closes. Comme s'il avait senti son regard sur lui, il ouvrit à son tour les yeux et ébaucha un sourire avant d'affirmer d'une voix rauque :

— Je l'ai dit parce que c'est vrai, Tam. Je suis réellement amoureux de toi.

13.

Jack Foley avait choisi son moment pour débarquer sans crier gare, grommela intérieurement Stone, tout en extrayant un pantalon et une chemise propres du placard de la chambre d'amis.

Ils étaient tous deux sous la douche lorsque Foley avait sonné à la porte d'entrée. Il savonnait alors amoureusement les seins de Tamara dont le regard brillait de cette expression qui avait le don de le faire chavirer. La sonnerie avait persisté et il avait vu une lueur effarouchée s'immiscer dans ses yeux.

— C'est sûrement oncle Jack, avait-elle murmuré avec consternation. Il a la clé. Si je ne vais pas ouvrir, il finira par venir s'assurer que je ne suis pas tombée dans l'escalier.

Il avait aussitôt compris son inquiétude. S'il n'était pas son géniteur, Jack était le père adoptif de Tamara. Malgré son amitié pour lui, et le fait que Tam soit adulte, le spectacle d'un mâle aux fesses dénudées sortant de la douche en même temps que sa fille n'aurait pas manqué de le choquer. Tamara s'était donc ruée dans la chambre, pour réapparaître quelques secondes plus tard à la porte de la salle de bains, vêtue d'un jogging.

— Nous avons tous les deux les cheveux mouillés. Ne viens pas tout de suite, Stone, sinon il va se douter de quelque chose.

Elle avait rougi.

— Tu dois me trouver stupide.

— Pas du tout, mon ange.

Avec la secrète intention d'équiper sans tarder toutes les portes de la maison de chaînettes de sécurité, il avait ajouté :

— Je comprends que tu n'aies pas envie de le lui annoncer tout de suite.

Il n'avait pu résister au désir de l'attirer à lui et de l'embrasser furtivement. Se retenir de recommencer avait été dur, d'autant qu'il avait senti la langue de Tam s'insinuer dans sa bouche. La prenant par les épaules, il l'avait forcée à se retourner, avant d'appliquer une petite tape sur son somptueux derrière.

— Va ouvrir cette satanée porte. Il ne se doutera de rien.

Mais Jack Foley n'était pas aveugle, songea McQueen en observant son reflet dans le miroir de la chambre. Au premier regard, il allait deviner ce qu'ils avaient fait ensemble.

Car le renflement de sa lèvre inférieure ressemblait exactement à ce qu'il était : un suçon. Et contrairement aux marques laissées dans son dos par les ongles de Tam lorsqu'ils avaient fait l'amour la deuxième fois, il n'avait aucun moyen de le dissimuler.

Il n'avait pu se rassasier d'elle. Jamais il n'y parviendrait. Juste avant l'aube, affirmant d'une voix haletante que c'était elle cette fois, qui prenait les choses en main, elle l'avait prié de resté allongé sur le dos, immobile, tandis qu'elle lui prodiguait les caresses les plus délicieuses... Ce qu'elle avait ensuite fait avec sa bouche avait failli lui faire définitivement perdre la raison.

Ces marques ancrées dans sa chair prouvaient qu'elle avait, la nuit dernière, pris possession de son corps. Mais, même si elle l'ignorait, elle avait d'ores et déjà gagné son cœur.

La chance, se demanda Stone, accepterait-elle enfin de lui sourire ?

Se dirigeant vers les voix qui s'échappaient de la cuisine, Stone manqua trébucher sur Pangor. Pris d'une soudaine inspiration, il saisit le chat entre ses bras avant de poursuivre son chemin.

— Ce sac à puces m'a griffé la lèvre quand j'ai voulu le faire descendre de mon lit, grogna-t-il en pénétrant dans la cuisine. Il a la patte leste. Avez-vous enfin des nouvelles de Leung, Jack ?

— Bonjour quand même, mon garçon !

Ses yeux bleus s'étrécissant tandis qu'il observait Stone, Jack Foley leva un gobelet de café en un salut ironique.

— Je vous ai apporté le petit déjeuner. Asseyez-vous et buvez votre café pendant que je vous raconte tout.

Avant de poursuivre, Jack l'invita d'un signe de tête à prendre un beignet dans la boîte en carton posée sur la table.

— Comme je vous l'ai déjà dit, Leung est un perfectionniste. Avant de rendre son verdict, il a tenu à effectuer trois analyses comparatives.

— Qui confirment toutes le premier résultat.

Comme c'était elle qui venait de parler, Stone tourna vers Tam un regard qu'il voulut détaché.

— Le carburant utilisé était bien celui auquel vous pensiez, McQueen.

Elle se tenait adossée au plan de travail, un beignet entamé à la main. Une ombre de sucre glace s'était déposée sur sa lèvre supérieure. Etreint par un désir aussi brûlant qu'immédiat de l'entraîner en direction de la chambre, d'en refermer la porte à clé derrière eux, et d'entreprendre de lécher, non seulement ces lèvres sucrées, mais le reste de son anatomie, Stone riva son regard dans celui de Tamara. Une rougeur soudaine aux joues, elle s'empressa d'ajouter :

— Leung affirme qu'il s'agit de la version imparfaite d'un combustible pour fusées. Et que si l'on avait utilisé le produit d'origine pour incendier cet hôtel, il n'en serait resté que des cendres.

— Et surtout, qu'aucun de vous n'en serait ressorti vivant.

Jack posa son gobelet sur la table avant de poursuivre :

— A l'époque où vous traquiez Pascoe, Leung ne faisait pas encore partie de nos services, McQueen. Il n'a donc pu établir aucune relation entre les incendies survenus il y a sept ans et celui-ci. Mais Knopf et Trainor, si.

Stone le dévisagea avec insistance.

— Comment l'ont-ils appris ?

Il dut faire un effort pour maintenir l'égalité de sa voix.

— Vous m'aviez dit que Leung saurait tenir sa langue.

— C'est simple, McQueen, affirma Tamara dans un souffle. Ils nous ont vus ensemble. Ils ont sans doute deviné que vous aviez découvert quelque chose sur les lieux de l'incendie, et ont dû se douter que nous nous adresserions à oncle Jack si vous aviez besoin d'aide.

— C'est aussi ce que j'imagine, convint Jack. D'après Leung, ces cinglés ont exercé une réelle pression sur lui, précisa-t-il d'un air dégoûté. Ils l'ont menacé de pouvoir dire adieu à son job, s'il ne leur communiquait pas le résultat de ses analyses. Je suis vraiment désolé, Stone, conclut Foley avec une grimace.

— Vous n'y êtes pour rien, Jack. Et je ne peux pas non plus en vouloir à Leung.

Les sourcils froncés, Stone ôta le couvercle de son gobelet en plastique.

— Mais puisqu'ils n'ont jamais cru à l'existence de Pascoe, qui tiennent-ils pour responsable de cet incendie ?

— Vous, affirma Jack d'un ton posé.

— C'est insensé !

Ses yeux lançant des flammes, Tamara s'était brusquement redressée. C'était donc cela, se dit Stone, que d'avoir quelqu'un qui vous soutienne, envers et contre tout.

A cette pensée, il se sentit prêt à affronter n'importe quel adversaire.

— Allez, Jack, ne cherchez pas à me ménager. Je lis en vous comme à livre ouvert. Quelle hypothèse ces deux fumistes avancent-ils ?

— Tommy semble avoir complètement perdu la boule, McQueen. Il est devenu fou.

Les traits habituellement bienveillants de Jack Foley étaient tendus par la colère.

— Ces tarés essayent de vous mettre sur le dos non seulement ce dernier sinistre, mais aussi ceux survenus il y a sept ans, incluant l'incendie des tours Mitchell.

Il s'en doutait vaguement. Mais même lorsqu'on s'y attend, songea Stone, un coup de poing à l'estomac vous envoie tout de même au tapis.

— J'espère pour eux qu'ils ont une bonne assurance maladie.

L'émotion qui sous-tendait tout à l'heure la voix de Tamara avait fait place à un calme glacé.

— Parce que je vais leur arracher les…

Elle s'interrompit.

— Pardon, oncle Jack, s'excusa-t-elle de la même voix blanche. Sur quoi ces types basent-ils leur stupide théorie ?

— Elle n'est pas si stupide, intervint Stone. Ni même originale.

Il sentit ses mâchoires se crisper.

— Certaines rumeurs couraient avant même que je ne démissionne, mais à l'époque, j'avais d'autres soucis en tête. Comme celui d'assister à cinq enterrements, ajouta-t-il d'un ton dur.

— Ce n'étaient que des rumeurs, mon garçon… de lâches insinuations, protesta Jack avec passion. Même vos pires ennemis n'y ont jamais porté foi.

Stone haussa les épaules.

— Bill et Tommy, si.

Tamara les dévisagea tour à tour d'un air frustré.

— A quelles rumeurs faites-vous allusion ?

— A celles selon lesquelles j'aurais imaginé un incendiaire fictif afin de monter plus rapidement les échelons, et selon lesquelles Robert Pascoe n'aurait jamais existé.

Il vit Jack détourner le regard. Mais ce n'était pas sa réaction qui l'intéressait le plus.

— J'aurais soi-disant attribué à ce personnage quelques affaires non résolues, afin de lui forger un passé. Puis j'aurais commencé à allumer moi-même des incendies afin de l'en rendre responsable.

— Je ne comprends pas. Et cette Glenda Fodor ?

Tamara haussa les épaules avec impatience.

— Comment ce type pouvait-il avoir une petite amie, s'il n'a jamais existé ?

— N'oubliez pas que Glenda Fodor a toujours nié avoir un homme dans sa vie.

Ce fatras de mensonges, pensa Stone, pouvait hélas paraître plausible.

— Puisque j'étais le seul à affirmer avoir vu ce type, expliqua-t-il, j'avais forcément dû l'inventer. Et le fait que ces incendies criminels aient cessé après mon départ n'a fait qu'attiser la rumeur…

— Attendez.

Les sourcils froncés, Jack le dévisagea avec surprise.

— Vous dites avoir rencontré Pascoe ?

— Sur un quai de métro, à la station St Charles, acquiesça Stone. La rame arrivait, quand un inconnu s'est tourné vers moi et m'a dit être Robert Pascoe, l'homme que je traquais. Il voulait m'informer qu'il préparait un coup si énorme, que les pompiers de Boston ne seraient pas prêts de l'oublier. J'allais réagir, quand il a poussé une femme enceinte en direction des rails. J'ai réussi de justesse à empêcher sa chute, et le temps que l'affolement s'apaise, Pascoe avait disparu.

Stone haussa nerveusement les épaules au souvenir toujours vivace de la frustration qu'il avait alors ressentie.

— J'avais à présent le nom de mon mystérieux incendiaire, mais je savais que cela ne suffirait toujours pas à faire croire à son existence. D'autant que lorsque je l'ai inséré dans l'ordinateur central, cela n'a donné aucun résultat. Mais Pascoe avait dit vrai — l'incendie des tours Mitchell allait marquer les mémoires. Il a coûté la vie à quatre pompiers, ainsi qu'à la plus courageuse des femmes.

A une époque, cette conversation l'aurait fait se précipiter en quête du premier bar, songea Stone en observant la lueur qui brillait dans le regard de Tamara. Sans la moindre gêne, elle tendit la main et la posa sur sa joue. Il enserra ses doigts entre les siens. Si Jack ne s'était encore douté de rien, se dit McQueen, il allait à présent deviner ce qui se passait entre eux. Ce qui, personnellement, ne le dérangeait nullement. S'il ne s'était s'agi que de lui, il aurait crié sur les toits combien il était amoureux d'elle.

Ce n'était pas d'un verre dont il avait besoin pour affronter ses problèmes, mais simplement de la femme qui se trouvait à son côté.

— La rumeur disait que je n'avais pas prévu qu'il y aurait des morts dans les tours Mitchell, et que, rongé par le remords, j'aurais fini par démissionner. Trainor et Knopf doivent penser qu'après tout ce temps, je cherche à regagner les feux de la rampe.

— Je ne me suis pas gêné pour leur dire ma façon de penser à ce sujet, affirma Jack d'un ton belliqueux. Puisqu'ils avaient décidé de sortir les cadavres du placard, j'en ai profité pour les remettre à leur place, surtout cette brute de Knopf.

Il mordit dans un beignet, un nuage de poudre blanche venant ponctuer la suite de son discours enflammé.

— Je leur ai suggéré d'entrevoir, ne serait-ce qu'une minute, la possibilité que vous ayez eu raison depuis le début, et de tenter d'interroger cette Glenda Fodor.

— Qu'ont-ils répondu ? s'enquit Stone d'un ton qu'il s'efforçait de mesurer.

Etait-ce le tressaillement des muscles de sa mâchoire qui avait alarmé Jack ? se demanda-t-il en voyant ses yeux bleus s'agrandir.

— Je n'aurais jamais dû leur parler de cette femme ! se lamenta soudain Foley d'une voix anxieuse. Ils pourraient lui faire peur. Bon sang, McQueen, je n'y avais pas pensé.

D'une voix posée, Stone entreprit de le rassurer :

— Vous avez essayé de me défendre, Jack. J'apprécie votre geste. Espérons que Knopf laissera Trainor mener l'interrogatoire. Il est un peu moins agressif que son partenaire.

— D'après ce que j'en ai vu, ce n'est pas non plus le genre d'hommes auquel une femme aurait envie de se confier, objecta Tamara.

Se penchant vers la table, elle saisit un deuxième beignet — sans sucre, cette fois, remarqua Stone avec regret. Elle mordit dans la pâte et rattrapa la crème qui en dégoulinait du bout de sa langue.

A ce spectacle, il faillit s'étouffer avec une gorgée de café brûlant. Ne pas oublier d'ajouter de la crème fouettée à la liste des prochaines courses, se dit-il. Des chaînes de sécurité pour les portes, et de la crème fouettée pour recouvrir le corps de Tam.

Tandis qu'il se laissait aller à ses fantasmes, Tam avait apparemment entrepris d'interroger Jack au sujet de Trainor.

— J'ai eu l'impression, disait-elle, qu'il savait non seulement que Claudia avait été mon amie, mais qu'il la connaissait. T'a-t-il jamais parlé d'elle ?

La réponse de ce dernier vint confirmer ses suppositions.

— Tu ne le savais pas ? Trainor était fou d'elle à une époque. J'avais été obligé de m'expliquer avec lui à ce sujet.

— Mais où l'avait-il rencontrée ?

— A la maison, un soir que c'était mon tour d'accueillir notre table de poker, et qu'elle y passait la nuit.

Jack fronça les sourcils.

— Il l'a dévorée des yeux toute la soirée. Il était beaucoup plus vieux que Claudia, et je n'ai pas trouvé ça correct. Je lui ai expliqué qu'elle avait toujours été comme ma propre fille, et Trainor avait semblé recevoir le message cinq sur cinq.

Jack Foley avait oublié d'être idiot, se dit Stone avec une ironie désabusée. Même s'il regardait Tam en s'exprimant, le réel destinataire de son discours, c'était lui, évidemment. Ayant rapidement additionné deux et deux, Jack était en train de lui dire qu'il avait intérêt à bien traiter sa petite fille.

— Quel est votre record à la course, Jack ? demanda alors Stone d'un ton détaché. 10 secondes au cent mètres ?

Jack tourna vers lui un regard bleu acier.

— 10, 42, fiston. J'ai encore du punch, vous savez.

— C'est ce que je pensais.

Stone s'autorisa un sourire.

— Je n'ai donc pas intérêt à me mesurer à vous, pas vrai ?

Après lui avoir rendu lentement son sourire, Jack répliqua :

— A nous deux, nous pourrions en effet faire des dégâts, McQueen. Mais cela ne risque pas d'arriver, n'est-ce pas ?

— Non, Jack, soyez sans inquiétude.

Reprenant son sérieux, Stone regarda son interlocuteur dans les yeux.

— Vous avez ma parole.

— De quoi discutez-vous, tous les deux ? Vous voulez faire un bras de fer ? demanda Tamara d'un ton irrité. Je croyais qu'on parlait de Bill Trainor. Je me demande comment il a réagi lorsqu'il a appris que Claudia s'était subitement mariée.

— Il avait dû l'oublier entre-temps, ma puce.

Se retournant vers Stone, Jack poursuivit :

— J'ai peur d'avoir grillé la piste Fodor. Comment comptez-vous aborder le problème à présent ?

— Je vais faire un saut à l'adresse que j'ai obtenue la concernant. Et si Bill et Tommy l'ont déjà mise sur ses gardes, j'interrogerai les anciens locataires de l'hôtel qui a brûlé afin de savoir s'ils auraient remarqué une présence suspecte.

Mais cette entreprise lui paraissait vaine. Il ajouta :

— Je n'ai jamais considéré comme solide la piste de ce combustible pour fusées. C'était la carte de visite de Pascoe, bien sûr, parce qu'il était le seul à oser s'en servir. Mais on m'avait expliqué que n'importe qui ayant accès à ce type de matériel, ainsi qu'à la formule chimique appropriée, serait en mesure de concocter un tel produit, s'il ne se faisait pas sauter en route.

— N'importe qui, cela m'étonnerait, tout de même.

Tamara fronça les sourcils.

— Ce n'est pas parce que vous me donnez des œufs et une recette que je produirai les merveilleux gâteaux de tante Kate. Il faut tout de même une certaine habitude, non ?

— Cela ne réduit guère le spectre des possibilités, objecta Jack. Même Tommy Knopf doit posséder les rudiments permettant de fabriquer ce genre de combustible. Il me semble me souvenir qu'il faisait partie d'une unité d'artificiers dans l'armée. McQueen a raison, c'est loin d'être une piste de choix.

— Dans ce cas, commençons par ce que nous savons de Pascoe.

Tout en s'adossant au plan de travail, Tamara croisa les chevilles et enfonça ses mains dans la poche kangourou de sa veste de jogging.

Elle avait un air solide, déterminé, et avec cette poche ainsi arrondie, elle avait l'air enceinte, remarqua Stone. Déconcerté par l'émoi qui l'avait envahi à cette pensée, il cligna des yeux, sans parvenir à chasser cette image de son esprit — celle de Tam attendant leur enfant, exhibant un peu plus chaque jour la preuve de ce qu'ils avaient créé ensemble.

C'était ce qu'il désirait le plus au monde. Cette certitude l'étreignit avec une telle force qu'il en eut le souffle coupé. Sans doute le rendait-elle fou, se dit-il. Connaissant Tamara, elle traverserait sa grossesse avec la sérénité d'une lionne, tandis qu'il s'empresserait de l'aider à monter en voiture, manquerait s'évanouir en la voyant soulever des charges plus lourdes qu'une lime à ongles, et la manierait comme si elle avait été en porcelaine. Et il insisterait pour être auprès d'elle, pour sentir sa main étreindre la sienne, alors qu'elle mettrait au monde l'enfant qu'ils auraient conçu ensemble.

Petra serait folle de joie, se dit-il avec un petit sourire. Ce serait une grande sœur aussi autoritaire qu'adoratrice. Et il s'assurerait qu'elle sache qu'elle était aussi aimée que le reste de sa progéniture.

Il voulait être l'époux de Tamara. Le père de ses enfants. Il voulait être autorisé à l'aimer jusqu'à la fin de ses jours, et au-delà, même. C'était le futur dont il rêvait.

Mais il y avait de fortes chances pour que son avenir soit autre.

— Il est plus difficile pour la municipalité de refuser le budget requis par les pompiers, expliquait Jack, quand ils sont face à un vétéran couvert de médailles.

Il avait manqué une autre partie de la conversation, comprit-il, en se forçant à réintégrer l'instant présent. Jack s'était levé. Repoussant sa propre chaise, Stone l'imita.

— Ne t'inquiète pas, oncle Jack. Va donc à ta réunion, armé de ta dignité et de ton courage, et persuade-les de nous jeter quelques dollars au passage.

Tamara souriait.

— S'il y a du nouveau, tu as ton téléphone portable sur toi, n'est-ce pas ?

— Ce truc. Lorsque je l'entends sonner, je n'arrive jamais à le trouver.

Jack se dirigeait vers la porte d'entrée.

— Il est dans la voiture, ma puce. Je vais m'assurer qu'il est allumé, au cas où.

Il se tourna vers Stone, et une fois de plus, son attitude se transforma imperceptiblement. Quiconque aurait vu en Jack Foley un fragile retraité se serait mépris, se dit alors Stone. Car l'homme qui se dressait devant lui semblait aussi solide et aussi impressionnant qu'il avait dû le paraître à la pleine fleur de l'âge.

— Bonne chasse, mon garçon.

Tout en appliquant une claque virile sur l'épaule de Stone, il lui adressa un regard circonspect.

— Un conseil : ne sous-estimez pas trop Knopf et Trainor. Cela fait un moment qu'ils veulent votre peau, Stone, et Tommy, surtout, peut entretenir une haine séculaire. A une époque, il aurait aimé me voir sombrer, moi aussi, juste à cause de mon amitié avec Chuck.

— Avec mon père ?

Tamara eut l'air stupéfait.

— Ils se connaissaient ?

— Pas vraiment.

Jack secoua la tête.

— Mais Tom tenait encore la lance à incendie, qu'il rêvait déjà de devenir expert spécialiste du feu, et son mentor était Harley Perkins. Un excellent pompier. Il m'a même sauvé la vie, une fois qu'un plancher avait cédé sous mes pieds. Mais il n'aurait jamais dû se frotter au métier d'expert.

— Il avait pris sa retraite avant mon temps, mais j'ai en effet entendu parler de lui.

Stone fronça les sourcils avant d'ajouter :

— Ses méthodes peu soignées étaient légendaires.

Jack hocha la tête.

— Le père de Tamara, qui était expert en assurances, a été envoyé par sa compagnie afin d'examiner les décombres d'un incendie qu'Harley avait jugé accidentel. L'enquête de Chuck a non seulement prouvé qu'il était criminel, mais que le propriétaire du restaurant avait lui-même payé quelqu'un pour y mettre le feu. Cette histoire a attisé les soupçons concernant Harley. On n'a jamais pu prouver qu'il était corrompu, mais quelques mois plus tard, sentant le vent tourner, Perkins a pris sa retraite. Knopf ne l'a *jamais* pardonné à Chuck.

Il tapota l'aile de son nez.

— Alors méfiez-vous, McQueen. Et n'hésitez pas à m'appeler, si vous avez besoin de moi.

Après que Jack se soit éloigné au volant de sa voiture, et qu'elle ait refermé la porte d'entrée, Tamara déclara :

— Trainor connaissait Claudia. Knopf avait une dent contre mon père... j'ai parfois l'impression d'avoir intégré une seconde famille en m'engageant dans les pompiers. Pas toi ?

Stone l'attira dans ses bras.

— Pour moi, c'est la *seule* famille que j'aie jamais eue, affirma-t-il d'une voix rauque. Et Robert Pascoe a décimé ma famille.

A ces mots, il sentit une douleur le transpercer, aussi vivace et fulgurante que par le passé, si bien qu'il dut lutter pour poursuivre d'une voix égale :

— Je m'appesantis rarement sur le passé, dit-il en respirant l'odeur de ses cheveux. Mais le fait d'en avoir reparlé aujourd'hui a tout fait revenir en bloc.

— Est-ce un mal ? demanda Tamara d'une voix douce. J'ignore ce qui s'est réellement passé, Stone. J'aurais pu le demander à Chandra, mais je préférais l'entendre de ta bouche, et à la seule condition que tu aies envie de m'en parler.

Il n'était qu'un imbécile, se dit alors Stone en resserrant son étreinte autour d'elle. Il avait traversé la vie comme un paumé, et il avait bien failli laisser échapper pour toujours la seule chose qui ait jamais compté pour lui.

Mais plus maintenant. Il l'aimait, et elle avait le droit de savoir. Tout au moins ce qu'il trouverait le courage de lui avouer pour l'instant.

— Le feu a envahi les deux tours, dit-il avec gravité. Ils n'ont jamais réussi à en ressortir vivants. Et j'ai toujours pensé que j'aurais pu empêcher cette tragédie.

14.

Tamara avait rejoint Stone sur le canapé du salon. Sans la regarder, il saisit son poignet et l'attira à lui, avant d'avouer, sa voix tendue par l'émotion :

— C'est simple, j'ai tout le temps envie de t'avoir contre moi. Dans mes bras, sur mes genoux, allongée sur moi…

Savourant la chaleur de son souffle sur ses lèvres, elle comprit que durant la visite d'oncle Jack, Stone avait ressenti la même chose qu'elle : cette impression que la distance qui les séparait l'un de l'autre, aussi infime soit-elle, était intolérable.

— Je me suis parfois demandé, dit Stone, revenant à leur précédente conversation, s'ils n'avaient pas tous raison — si ce mystérieux incendiaire n'était pas un produit de mon imagination. Jusqu'à ce que je consulte plusieurs dossiers non élucidés, et que je comprenne que nous avions une fois de plus affaire à l'œuvre de ce fumier.

Stone enroula une mèche de cheveux roux autour de son doigt avant de poursuivre :

— Je crois avoir été le premier à faire analyser le combustible utilisé par Pascoe. Mais peut-être le labo n'était-il pas assez familier de ce procédé pour l'identifier auparavant. Je n'ai en tout cas jamais lu sa formule chimique dans aucun des anciens rapports que j'avais eus en main. Et pour certains d'entre eux, c'est un autre produit qui avait clairement été détecté sur les lieux de l'incendie.

— Il n'utilisait donc pas toujours les mêmes méthodes ?

Tamara fronça les sourcils.

— Une fois que celui-ci a fait ses preuves, je croyais que les incendiaires s'en tenaient toujours au même mode opératoire.

— Certains des incendies perpétrés par Pascoe étaient purement alimentaires, expliqua Stone. C'étaient des contrats pour lesquels il était payé. Il n'a commencé à utiliser ce combustible que lorsqu'il a voulu déclencher des feux *pour son propre plaisir.*

La rage qui perça dans sa voix alarma Tamara. Cherchant à ramener la conversation sur un terrain moins passionné, elle demanda :

— Lorsque tu l'as rencontré, ce Pascoe t'a-t-il semblé appartenir à une tranche d'âge plausible ?

— Oui, cela collait. Il avait plus de la trentaine, et le premier des dossiers pouvant lui être attribué datait d'une dizaine d'années.

La colère, dans la voix de Stone, avait fait place à de la dureté.

— A cette époque-là, un certain Bracknell Curtiss, un magnat de la promotion immobilière, était venu s'installer à Boston après avoir fait fortune dans l'Ouest. Ce type brassait des affaires de très grande envergure. Mais ce n'est qu'après sa mort que le fisc a découvert comment il avait pu acquérir à si bas prix les propriétés qui l'intéressaient.

— En y mettant le feu ? demanda Tamara avec gravité.

Stone acquiesça d'un hochement de tête.

— Pour Curtiss, tous les moyens étaient bons. Lorsqu'il voulait se procurer un terrain que son propriétaire refusait de vendre, on pouvait parier gros que les locaux qui s'y trouvaient — quand ce n'était pas la demeure du malheureux propriétaire — partiraient bientôt en fumée. Terrorisé, ruiné, ce dernier s'estimait alors heureux d'apposer sa signature sur n'importe quel acte de vente.

— Et c'était chaque fois Pascoe qui déclenchait l'incendie, en déduisit Tamara.

— Exact, convint Stone, incluant celui qui a un jour détruit le manoir de Bracknell Curtiss. Avec Curtiss et un de ses domestiques à l'intérieur. Suite, ainsi que je l'imagine, à un différent entre lui et Pascoe. C'était la première fois que notre incendiaire utilisait ce fameux combustible.

— Les incendies ont-ils continué après la mort de Curtiss ?

— Oui. Un type de la trempe de Pascoe n'avait sans doute qu'à annoncer son prix. Il savait camoufler son travail, et je suis certain que la plupart des feux qu'il a déclenchés ont été qualifiés d'accidentels — pour cause de fuites de gaz, ou d'une cigarette non éteinte.

— A ce propos, intervint Tamara, Petra avait raison. Claudia avait définitivement arrêté de fumer depuis un an. Elle... elle me l'avait précisé dans une de ses lettres.

— Tu vas en discuter avec Petra ?

Le regard de Stone se riva sur elle avec une soudaine compassion.

— Oui, dès que je la verrai. Ce qui ne sera peut-être pas aujourd'hui, à en croire les propos de Mme Hall, répondit Tamara avec une grimace. Mais, pardon, je t'ai interrompu.

— Après une visite à Glenda Fodor, proposa Stone, nous irons directement voir Petra. Sans téléphoner au préalable. Et je persuaderai cette Mme Hall de nous laisser l'emmener avec nous une heure ou deux.

Il lui releva le menton du bout du doigt.

— Tu n'imagines pas le charme que je peux déployer, quand je le veux, chérie.

— Prétentieux, va, rétorqua Tamara.

Soudain alanguie, elle lui sourit, tout en sachant que si elle cédait au désir qui venait de s'emparer d'elle, ils risquaient de ne jamais quitter la maison. Son sourire s'effaçant de ses lèvres, elle dit avec douceur :

— Je sais combien c'est difficile pour toi de parler du passé, Stone. Mais j'aimerais en savoir plus. Qu'est-ce qui t'a fait soupçonner que ces différents incendies étaient l'œuvre d'un technicien aussi avisé ?

— Le fait qu'un certain Jimmy Malone ait tenté de conclure un marché avec nous, après son arrestation suite à l'incendie du Dazzlers.

Tamara sentit les muscles des bras qui l'enlaçaient se tendre de nouveau.

— Une vingtaine de personnes étaient mortes lors de cet incendie, si bien que j'ai refusé son marché, car je voulais qu'il paye pour son crime. Mais lorsque je lui ai rendu visite en prison, il a affirmé n'être que du menu fretin, à côté de l'homme sur lequel il s'efforçait de prendre exemple.

— Pascoe ? C'était son mentor ? s'exclama Tamara, révulsée.

— Jimmy Malone ne connaissait pas Pascoe, mais l'élevait au rang de héros. Il ignorait jusqu'à son nom, mais son admiration pour sa technique opératoire m'a suffi à définir un modèle à rechercher. Un modèle dont j'ai rapidement compris le mécanisme. Peu de temps après, sur les lieux d'un sinistre, j'ai aussitôt pressenti que Pascoe en était le responsable. Je sentais presque sa présence me suivre dans les décombres.

— Tu parles du premier de la série d'incendies qui a précédé celui des tours Mitchell ?

Stone acquiesça d'un hochement de tête.

— Oui. Au nombre de six, ils ont tous été déclenchés à l'aide de ce même combustible pour fusées. J'en ai donc conclu que Pascoe œuvrait à présent pour son propre compte.

Avec un soudain pincement au cœur, Tamara comprit que Stone revivait l'expérience de ces mois passés à traquer — en luttant contre la montre — un impitoyable meurtrier.

— J'ignore d'où est partie la fuite, ajouta-t-il, mais *Le Globe* d'abord, puis l'ensemble de la presse écrite, a divulgué le fait que je soupçonnais ces feux d'être l'œuvre d'une seule et même personne. Et surtout, que mon mystérieux incendiaire opérait depuis des années, et qu'il avait jadis travaillé sous les ordres de Curtiss. C'est le lendemain de ces parutions que Pascoe s'est présenté à moi sur ce quai de métro. Le surlendemain, c'était au tour d'un vieil hôtel du centre-ville de flamber, coûtant la vie à un de ses pensionnaires. Avant même que le labo ne me communique ses résultats, je savais déjà quel combustible avait été utilisé. Mais en revanche, je ne m'attendais pas à la découverte qu'a faite un des mes gars parmi les décombres.

Stone poussa un soupir.

— C'étaient les restes calcinés d'un genre de minuterie. Mais en revanche, nous n'avons trouvé aucune trace d'explosifs. D'habitude, Pascoe n'utilisait pas ce type de mécanismes. Nous en avons par la suite déniché un autre sur les lieux d'un prochain incendie, que j'ai ramené à mon bureau afin de l'examiner, sans comprendre pourquoi il l'avait placé là. Ces trucs semblaient quasi inoffensifs, mais quelque chose m'échappait. C'était comme s'il avait cherché à me narguer, en déposant ces faux indices sur ma route.

— C'est là que les rumeurs ont commencé à se propager, supposa Tamara.

— Oui. McQueen n'était pas à la hauteur. Il voulait voir son nom en première page des journaux. Il avait inventé l'existence d'un mystérieux incendiaire dans le but de passer pour un héros. C'est aussi là que j'ai commencé à dormir à mon bureau, et à avaler un ou deux verres de bourbon pour parvenir à fermer l'œil. Comme je ne buvais jamais la journée, au début, je ne me suis pas inquiété.

Stone prit une longue inspiration avant de poursuivre :

— Le grand plaisir d'un pyromane consiste à se mêler à la foule réunie autour du sinistre qu'il a provoqué. Je savais que Pascoe ne dérogerait pas à cette règle. La nuit suivante, j'étais à mon bureau, penché sur les plans des différents bâtiments que ce salaud avait fait partir en fumée, quand j'ai surpris une annonce radio informant toutes les compagnies qu'un énorme feu s'était déclaré dans les tours Mitchell. Avant la fin du rapport, j'étais déjà dans ma voiture, avec l'espoir d'apercevoir Robert Pascoe dans la foule.

Il ferma les yeux. Lorsqu'il les rouvrit, et bien qu'il la tienne toujours serrée dans ses bras, Tamara eut l'impression que Stone se trouvait à des milliers de kilomètres d'elle. D'une voix blanche, il reprit son récit :

— J'avais allumé mon radio émetteur. J'ai entendu les gars annoncer qu'ils avaient maîtrisé le foyer de l'incendie de l'extérieur, à l'aide des lances. Le chef de brigade a alors ordonné à une première unité de pénétrer dans les locaux. Je n'étais plus qu'à une rue de là, lorsque j'ai deviné les réelles intentions de Pascoe.

Combien de fois en sept ans, Stone s'était-il précipité en rêve sur les lieux d'un incendie qu'il se savait impuissant à éteindre, se demanda Tamara avec déchirement. Combien de fois avait-il entendu une voix lancer à cinq courageux combattants du feu le dernier ordre qu'ils recevraient ? Revivait-il cette vaine course contre la montre, lorsqu'elle l'avait découvert, deux jours auparavant, figé devant la fenêtre de cette chambre d'hôtel ?

— J'ai compris que cette fois, nous découvririons la présence d'explosifs sur le site, expliqua Stone. Tout en testant la solidité de son matériel, c'était moi, que Pascoe avait précédemment voulu mettre à l'épreuve. Il désirait voir si j'allais deviner ses plans avant qu'il n'appuie sur le détonateur. J'ai échoué, conclut-il d'une voix neutre.

Il passa une main dans ses cheveux.

— Comme j'arrivais sur les lieux, j'ai hurlé un avertissement dans l'émetteur, puis je me suis frayé un passage jusqu'au chef de brigade, pour lui signifier de faire ressortir ses hommes. J'allais moi-même pénétrer dans le bâtiment à leur suite, quand tout a explosé. Cette fois, le mécanisme mis en place par Pascoe avait fonctionné. Il avait actionné à distance une bombe placée au pied d'un des murs maîtres de l'immeuble. De son poste d'observation, il le regardait s'effondrer, en sachant que cinq pompiers se trouvaient à l'intérieur.

Stone ferma de nouveau les yeux. Sans les rouvrir, il déclara d'une voix enrouée par l'émotion :

— J'ai d'abord assisté à l'enterrement de Terry Cutshaw. Puis, le jour même, à celui de Max Aiken et de Larry Steinbeck. Entre les deux cérémonies, je suis retourné à l'hôpital, où l'on m'a annoncé que l'on venait de débrancher l'assistance médicale de Monty Stewart. Deux jours plus tard, Donna est partie à son tour, alors que j'étais à son chevet. Après m'être rendu à ses funérailles, je suis revenu au bureau central, et j'ai rendu mon insigne. Puis je suis allé directement me soûler. Je me suis soûlé sept années durant. Mais cela n'a rien changé.

— Tu n'y étais pour rien, Stone, murmura Tamara.

Sa voix n'était qu'un filet étranglé, mais ce qu'elle avait à dire devait être dit.

— Tu as cru voir ton propre reflet dans le miroir, ajouta-t-elle. Mais tu t'es trompé.

Stone secoua la tête.

— Non. J'aurais dû arriver plus vite. A trente secondes près, j'aurais pu entrer dans le bâtiment. J'aurais pu les sortir de là.

Elle le dévisagea avec insistance.

— Tu n'y serais jamais arrivé. Tu le sais très bien. Tu serais mort avec eux.

Soudain, c'était comme si une main s'était resserrée autour de son cœur.

— C'est cette pensée qui t'a torturé durant toutes ces années ! s'exclama alors Tamara dans un souffle. Tu te dis que tu aurais dû mourir avec eux.

En rencontrant le regard fermé de Stone, elle sentit la fureur l'envahir.

— Tu *as fait* ton boulot, McQueen ! Tu as traqué un monstre dont personne, à part toi, ne croyait à l'existence ! N'importe qui à ta place aurait fini par céder, mais toi, tu as persévéré : tu étais à deux doigts d'arrêter Pascoe. Ce n'est pas ta faute s'il a réussi à s'échapper. Et tu ne dois pas non plus te sentir coupable d'avoir survécu. Je suis bien placée pour le savoir, crois-moi.

L'émotion fit trembler sa voix.

— J'avais cinq ans ! Cinq ans, quand je me suis réveillée en pleine nuit dans cette chambre de motel. J'avais envie d'aller aux toilettes, mais je ne voulais pas déranger ma mère. Alors malgré ma peur, j'ai trouvé mon chemin dans le noir.

Elle sentait les larmes lui monter aux yeux, mais qu'importe ? La seule chose qui comptait, c'était l'homme qui la dévisageait, et le fait qu'il comprenne.

— Une fois dans la salle de bains, j'ai juste poussé la porte. J'ai cru entendre une portière claquer, des voix résonner à l'extérieur. Quelques secondes plus tard, mon univers explosait en une gigantesque boule de feu.

Tamara s'essuya vivement les yeux du dos de la main. Avec douceur, Stone acheva d'effacer ses larmes à l'aide de son pouce, avant d'implorer d'une voix blanche :

— Ne dis plus rien, Tam. Je ne supporte pas de te voir souffrir ainsi.

— Moi non plus, je ne supporte pas de te voir souffrir !

Elle riva dans le sien un regard empli de fureur et Stone détourna les yeux.

— Il n'y a rien d'autre à dire, conclut-elle. Quand j'ai grandi, j'ai exprimé à oncle Jack mon besoin de savoir comment ils étaient morts. Il m'a répondu qu'ils étaient morts sur le coup, suite à l'explosion d'un radiateur à gaz. Cette pensée m'a vaguement réconfortée, mais elle n'a pu effacer cet horrible souvenir de ma mémoire : la gigantesque boule de feu qui avait envahi la chambre, les hurlements que j'ai poussés en appelant mes parents. Je savais que si je restais là, j'allais mourir, et je ne *voulais pas* mourir. Alors j'ai grimpé sur le réservoir d'eau des toilettes, jusqu'à atteindre un vasistas par lequel je me suis glissée à l'extérieur. J'ai atterri sur la terre battue. Après quoi, je ne me rappelle plus de rien.

Elle eut un sourire tendu.

— Tu te demandes en quoi mon histoire peut ressembler à la tienne, n'est-ce pas ? Qui oserait tenir une si petite fille pour responsable de ce qui s'est passé ?

Une pointe de colère s'immisça dans sa voix.

— Je vais te dire *qui,* McQueen. *Toi.*

A ces mots, Stone releva vivement la tête. Tamara vit une étincelle briller dans l'opacité de son regard.

— C'est insensé. Comment peux-tu penser une chose pareille ?

— C'est pourtant la vérité.

Elle emprisonna son regard dans le sien.

— Si tu te penses coupable, alors moi aussi je le suis, parce que nous avons tous deux commis le même crime, Stone. Nous avons survécu. D'autres sont morts, et nous, nous avons survécu. Si tu peux t'en blâmer, alors tu dois me le reprocher à moi aussi. Et pendant ce temps, le véritable responsable du décès de nos cinq malheureux collègues continue de sévir.

— J'aurais *dû* trouver un moyen de contrecarrer Pascoe, insista Stone.

Sentant l'étreinte de Stone se desserrer autour d'elle, Tamara se leva brusquement.

— Tu n'avais aucun moyen de le faire, à l'époque, et au plus profond de toi-même, tu le sais très bien. Mais aujourd'hui, nous pouvons l'arrêter.

Elle haussa les épaules en signe d'impuissance.

— La vie t'offre une chance de réparer le passé, Stone.

— Tu le penses vraiment ?

Il leva vers elle un visage à l'expression indéchiffrable.

— Tu crois vraiment qu'on peut effacer ses erreurs et recommencer tout à zéro ?

L'étrange intensité qui perçait dans la voix de Stone la mit mal à l'aise. Mais avec un hochement de tête, elle affirma :

— Je te le jure, Stone. On peut transformer le passé.

Tu as bien transformé le mien, se dit-elle en frémissant. Tu as réussi à remplacer le remords qui me rongeait au souvenir d'une nuit passée dans les bras d'un inconnu, par la passion bien réelle que j'ai découverte entre les tiens.

Se levant à son tour, Stone s'approcha d'elle et caressa doucement ses cheveux.

— J'en avais le secret espoir, avoua-t-il d'une voix rauque. Mais j'avais peur de me mentir.

Tamara vit les ombres qui obscurcissaient son regard s'estomper. Elle vit la mâchoire de Stone se crisper et sa bouche se durcir en une mince ligne horizontale. Après avoir pris une profonde inspiration, il affirma :

— On va s'y atteler, Tam. On va traquer ce salaud.

15.

Ils n'avaient pas eu la chance de retrouver la trace de Robert Pascoe, songeait Tamara quelques heures plus tard.

Ainsi que le leur avait confié la logeuse de Glenda Fodor, celle-ci avait déménagé en pleine nuit, plusieurs semaines auparavant. Stone n'avait donc pu céder à la tentation d'en blâmer Trainor et Knopf. Car même si la propriétaire avait dû convenir que les hommes correspondant à leur description avaient demandé à voir la jeune femme le matin même, ces derniers n'étaient pour rien dans son départ précipité.

La seule piste qu'ils détenaient venait donc de leur filer entre les doigts. Suite à cette visite infructueuse, Stone avait téléphoné à Chandra, et était tombé sur son répondeur. Il avait laissé un message lui demandant de les rappeler.

— La seule solution, avait-il dit, serait qu'elle se procure mes anciens dossiers, afin que je puisse m'y replonger.

En ce qui concernait leur enquête, leur matinée s'était donc révélée un fiasco. Mais les heures qui avaient suivi avaient largement compensé leur déception.

Assis sur le siège conducteur, Stone jeta un bref regard dans sa direction :

— Allons, Tam, reconnais qu'on a bien fait d'aller visiter ce chenil. Tu es tombée encore plus amoureuse de ce chien que Petra. Et c'est la raison de ce sourire radieux sur tes lèvres.

— Je souris parce que je suis heureuse, répondit Tamara. Heureuse d'avoir pu constater de mes propres yeux que Joey allait bien, heureuse que les choses se soient bien passées avec Petra. Et simplement heureuse d'être avec toi.

Elle sentit son sourire s'élargir un peu plus.

— Mais j'avoue que ce chiot est pour le moins adorable.

Après une brève visite à l'hôpital, lors de laquelle elle avait pu contempler Joey dormir d'un sommeil paisible, ils s'étaient rendus directement à la maison d'enfants. L'énergie que Stone y avait alors déployé pour obtenir gain de cause lui était apparu comme de l'intimidation pure et simple. Quoi qu'il en soit, Mary Hall avait fini par accepter qu'ils emmènent Petra pour l'après-midi. Une fois dehors, dès qu'elle avait appris où ils se rendaient, la petite fille s'était jetée avec effusion au cou de Stone.

Après être descendues de voiture, et tandis qu'il cherchait une place pour garer leur véhicule, Tamara avait réuni son courage pour entamer la conversation qu'elle souhaitait avoir avec Petra. S'accroupissant devant l'enfant au visage fermé, elle lui avait demandé :

— Tu te souviens m'avoir dit que ta maman m'avait écrit ?

— Oui. Mais je crois que je me suis trompée.

Les mots étaient sortis de la bouche de la petite fille comme des pierres qu'elle lui aurait jetées au visage :

— Ce n'est pas à toi que maman écrivait. Elle écrivait à sa *vraie* amie.

Tamara se souvint avoir senti sa volonté la déserter durant un instant. Peut-être aurait-elle dû attendre que Stone soit là pour arbitrer leur conversation, avait-elle pensé, déconcertée. Après avoir poussé un soupir, elle s'était apprêtée à se relever, quand elle avait surpris la brillance des larmes dans les yeux verts de l'enfant.

Sentant soudain une barrière céder dans son cœur, d'une voix douce, elle avait aussitôt assuré :

— *J'étais* sa véritable amie, Petra. Je l'avais juste oublié pendant un moment. Mais hier, j'ai lu toutes ses lettres, et elles m'ont aidée à me rappeler combien j'aimais ta maman. Tu avais raison, elle avait bien arrêté de fumer. Tu as dû être drôlement fière d'elle, à ce moment-là.

— Oui. Ça a été dur pour elle. Elle mâchait tout le temps un chewing-gum spécial qui n'était pas pour les enfants.

Avant de poursuivre, Petra avait détourné le regard, comme pour signifier qu'elle entendait encore garder ses distances.

— Les premières semaines, il y avait des bonbons plein la maison. Quand maman avait fini la vaisselle, on s'asseyait toutes les deux sur le sofa et on en mangeait un en regardant la télé. C'était... c'était super.

Ramenant son regard sur elle, la petite fille l'avait dévisagée avec de grands yeux sombres.

— Stone m'a dit que c'était comme si elle s'était endormie. C'est vrai, dis ? Ce n'est pas un mensonge ?

— Je vais te confier quelque chose à propos de Stone, Petra.

Tamara avait tendu la main vers la petite fille qui, après un instant d'hésitation, l'avait laissée prendre la sienne.

— Stone est têtu comme un âne. Mais il ne ment jamais. Jamais, tu m'entends. Il a dit la vérité, ma chérie. Ta maman n'a pas eu mal du tout.

— J'aurais pas dû m'endormir, Tam-Tam.

Tamara n'aurait pas su dire ce qui l'avait bouleversée le plus — le désespoir qui avait percé dans la voix de Petra, ou le fait qu'elle ait utilisé le diminutif qu'employait toujours Claudia à son adresse. Elle avait attiré plus près d'elle le petit corps raide de l'enfant.

— On était allées au parc l'après-midi, avait expliqué Petra, et j'avais beaucoup joué. Après le dîner, je me suis endormie, et je ne me suis pas réveillée avant… avant…

De gros sanglots secouant sa frêle silhouette, les bras de Petra étaient venus entourer son cou. Les larmes aux yeux, elle avait farouchement serré la petite fille contre son cœur.

— Maman est partie. Je ne la reverrai jamais plus, hein ? avait hoqueté Petra entre deux sanglots.

Voyant Stone qui approchait, s'immobiliser discrètement à quelques mètres d'elles, elle avait resserré son étreinte autour de l'enfant, avant d'affirmer :

— Tu ne la verras pas, mon ange, mais elle sera toujours là. Elle t'aimait plus que tout au monde, alors comment pourrait-elle vraiment t'abandonner ? Elle sera là quand je te lirai ses lettres, et quand je te raconterai ce qu'elle faisait, quand elle était une toute petite fille, comme toi. Elle sera là avec nous, quand on rigolera avec Stone, en mangeant du pop-corn devant la télé. Elle sera là pour s'assurer que tu choisis le meilleur chien du refuge. Elle est là en ce moment, ma chérie. Parce que les mamans ne partent jamais vraiment.

Petra était coriace, parfois belliqueuse, songeait à présent Tamara, mais elle avait hérité du cœur aimant de sa mère. Et ce cœur s'était enfin ouvert pour la laisser s'y immiscer.

Elle revit le visage rayonnant de la petite fille au moment où elle avait aperçu le chiot noir et blanc sur lequel elle avait rapidement jeté son dévolu. Petra l'avait prénommé Framboise, à cause de la couleur rose de sa langue. Et seule la promesse qu'ils viendraient le rechercher dès le lendemain avait pu la persuader de le laisser au foyer pour la nuit.

— Oh, oh, murmura soudain Stone, on dirait qu'on va avoir des problèmes. Baisse-toi, Tam.

S'arrachant brusquement à ses pensées, Tamara s'aperçut qu'ils arrivaient à destination. Elle remarqua alors une voiture de police, garée dans l'allée qui menait à sa maison. Ainsi que le véhicule banalisé dans lequel elle avait vu Knopf et Trainor monter, devant le Red Spot.

En effet, ces derniers cognaient avec autorité à sa porte ! Tamara se laissa vivement glisser à bas de son siège, tandis que Stone dépassait lentement la maison.

— Tu peux te relever, annonça-t-il un instant plus tard. Je ne crois pas qu'ils nous aient repéré.

D'une voix lugubre, il ajouta aussitôt :

— Je veux savoir ce qui se passe, et tout de suite.

— Ce qui se passe ? Ils sont venus t'arrêter, Stone, répliqua Tamara d'une voix tendue. Pour l'incendie de l'hôtel, sans doute, et les autres charges qu'ils croient pouvoir faire peser contre toi. Mais tu as raison, on va appeler oncle Jack pour savoir ce qu'ils pourraient réellement te reprocher.

— Pas grand-chose, vu que je n'ai rien fait. Mais ces deux-là ne vont pas s'embarrasser de détails ; ils se moquent bien d'avoir des preuves. Et pendant que je moisirai au fond d'une cellule, Pascoe pourra préparer un nouvel incendie en toute quiétude.

— Tourne à gauche, dit-elle.

Quelques instants plus tôt, songea Tamara avec colère, elle pensait à cette journée comme au plus beau jour de sa vie. Or voilà qu'elle se transformait en cauchemar, à cause de deux fumistes, aussi présomptueux qu'incompétents.

— Il y a une cabine à l'angle de ce supermarché. On va appeler oncle Jack.

— Donne-moi son numéro, et enferme-toi dans la voiture, le temps que je téléphone, ordonna Stone en engageant leur véhicule sur le parking désert du supermarché. La nuit tombe, et ce n'est pas un endroit sûr pour une femme.

Tamara lui lança un regard exaspéré.

— Enfin, McQueen, où crois-tu que j'aille, le soir, quand je me trouve à court de lait ?

— Eh bien, la prochaine fois que cela t'arrivera, répondit-il fermement, c'est moi qui irai chercher le lait, d'accord ?

Elle était amoureuse de cet homme, se dit Tamara avec résignation, tout en le regardant traverser le parking à grands pas. Comme les serrures de l'automobile se verrouillaient dans un bruit sec, elle vit deux individus efflanqués regarder dans sa direction.

Elle était amoureuse de cet homme dans sa totalité — avec son côté autoritaire, ses manières protectrices, son insistance à afficher sa virilité face à la femme qu'il avait choisie, dans un monde qui tendait à effacer ces différences de genre. Et il avait raison, admit-elle à contrecœur. Elle ne s'était jamais sentie tout à fait à l'aise sur ce parking, à la nuit tombée.

Stone refusait en bloc les faux-semblants, et les compromis. Là se trouvait la clé de sa personnalité. C'était ces qualités qu'elle aimait le plus en lui. Mais c'était également ce qui lui avait mis Knopf et Trainor à dos. Au point qu'ils le croient coupable des crimes dont ils souhaitaient l'accuser.

— C'est bien ça, affirma la voix de Stone. Ils veulent m'arrêter pour l'incendie de l'hôtel.

A peine eût-il ouvert la portière, qu'il était déjà installé derrière le volant. Le visage fermé, il fit vivement marche arrière.

— Jack dit qu'ils ont épluché mes anciens dossiers. Et que les commérages vont déjà bon train concernant l'incendie des tours Mitchell.

— Quels commérages ? demanda Tamara tout en redoutant d'entendre la réponse à sa question.

Les lèvres serrées, Stone répondit :

— Ceux selon lesquels j'en aurais moi-même déclenché l'explosion. Les bâtards, marmonna-t-il. Comme si les familles des cinq pompiers qui y ont trouvé la mort avaient besoin de se replonger dans ce cauchemar.

— Que nous conseille oncle Jack ?

— De faire profil bas pendant qu'il tente de tirer quelques ficelles, répondit sèchement McQueen. J'étais prêt à me rendre, mais sa suggestion me semble sage. Quand je lui ai dit que Knopf et Trainor semblaient sur le point d'investir ton domicile, il a failli devenir dingue. Je crois qu'à moins qu'ils ne produisent un mandat de perquisition, il a la ferme intention de les faire déguerpir. Je devrais donc pouvoir te déposer chez toi d'ici une heure ou deux.

— Oh, super. Parce que j'aimerais bien me faire les ongles et prendre un bain moussant avant de me coucher, ironisa Tamara.

Elle leva sur Stone un regard impatient.

— Atterris, McQueen. Je t'ai déjà dit que nous étions embarqués sur le même navire, toi et moi. Et si tu dois te présenter aux autorités, je serai à ton côté, Nom de Dieu.

— Tu embrasses ton petit ami avec la même bouche que celle qui profère de telles insanités ?

L'amusement qui venait de percer dans la voix de Stone la soulagea. Heureuse d'avoir réussi à lui faire oublier ses problèmes — ne serait-ce qu'une seconde — Tamara répliqua :

— Oui. Il aime les vilaines filles.

— Il en aime *une seule,* rectifia Stone en glissant une main entre ses cuisses serrées dans un jean.

— Et il meurt d'envie de lui apprendre une ou deux vilaines choses de plus, à faire avec cette bouche.

Envahie par une chaleur soudaine, Tamara pensa avec frustration que quelle que soit l'intensité de leur désir mutuel, il y avait peu de chances pour qu'ils passent la nuit à venir dans les bras l'un de l'autre. A cette pensée, saisissant la main de Stone, elle la porta à sa bouche et déposa un long baiser au creux de sa paume. Puis la refermant en forme de poing entre les siennes, elle lui sourit avant de suggérer d'une voix mal assurée :

— Conserve ça pour plus tard, au cas où.

Au cas où tout tournerait mal, se dit-elle en observant les feux des voitures comme dans un brouillard. Juste au cas où ils chercheraient à détruire une fois encore ton existence.

Une foule de pensées s'entrechoquant dans sa tête, elle se laissa aller contre le dossier de son siège et ferma les yeux. Il fallait un avocat à Stone. Et elle devrait trouver un prétexte vis-à-vis de Petra, s'il ne les accompagnait pas au refuge, le lendemain. Oncle Jack et elle allaient devoir…

— Je rêve !

A l'instant où il poussait cette exclamation, Stone se gara vivement contre le trottoir. Tamara ouvrit alors les yeux sur une petite zone commerciale apparemment déserte, passées les heures de bureau. Seul clignotait à un bloc de là le néon rouge d'un restaurant. Quelqu'un, pourtant, semblait avoir foi en l'essor futur de ce quartier. Car de l'autre côté de la rue, au centre d'un terrain vague, se dressait le squelette d'un imposant immeuble à cinq étages. Une immense pancarte exposant les intentions de son architecte en indiquait l'aspect futur.

Mais ce n'était pas cette esquisse ambitieuse que Stone observait d'un air incrédule, comprit Tamara en lisant l'inscription qui se trouvait au bas de la pancarte.

« Louez les nouveaux locaux des tours Mitchel, disait l'écriteau. De magnifiques bureaux à votre disposition. Achèvement des travaux, au mois de septembre de cette année ! ! ! »

— Ils n'ont même pas eu la décence de changer le nom, fit remarquer Stone d'une voix tendue par la colère. J'avais espéré qu'aucun promoteur n'oserait jamais reconstruire sur ce site.

Avant qu'elle n'ait le temps de détacher sa ceinture, il était déjà hors du véhicule et traversait la rue. Tamara bondit de son siège et le rattrapa au moment où il s'arrêtait devant l'édifice.

Une bâche de protection recouvrait les deux premiers étages. Les trois derniers se résumaient encore à un enchevêtrement de piliers et d'encadrements, rendu accessible par des planchers provisoires.

— D'ici à un an ou deux, personne ne se souviendra que cinq combattants du feu ont perdu la vie dans cette tour, grinça Stone. Je sais qu'on ne peut pas arrêter le progrès, Tam. Mais je ne peux pas m'empêcher d'être choqué.

Une voix éraillée retentit alors à l'angle de l'immeuble :

— Il paraît qu'ils veulent y coller un genre de plaque commémorative.

Tamara se tourna vers le vieil homme aux vêtements élimés, immobilisé à quelques mètres d'eux. Il portait une canne blanche et des lunettes noires.

— C'est vous, McQueen ? Ça fait longtemps qu'on ne s'est pas vus. Même très longtemps, dans mon cas, ironisa l'aveugle. Mais pour ce qui est de reconnaître une voix ou un bruit de pas, je suis imbattable. C'est bien vous, hein ?

— Katz ? Harry Katz ? s'exclama Stone.

Les réverbères étaient rares dans ce quartier, mais les puissants spots fixés à la carcasse de l'immeuble illuminèrent la surprise qui marquait ses traits.

— Bon sang, ne me dites pas que vous vivez toujours ici.

— Nouvelle boîte en carton, même emplacement, mon pote, répliqua le nouveau venu. Je suis trop vieux pour changer de quartier, même si je couche plus souvent qu'avant dans les refuges. Avant, la bibine faisait office de dégivrant, mais cet été, cela fera cinq ans que j'ai arrêté de boire.

— Bravo, Katz. C'est formidable.

S'avançant vers lui, Stone prit la main veinée de bleu que lui tendait le vieil homme, et la serra avec une affection manifeste. Puis, après une brève hésitation, il ajouta :

— Vous avez dû me voir moi-même au pire de ma forme, les premières années qui ont suivi l'incendie. Entre-temps, je me suis également pris en main.

— Je m'en suis rendu compte. Si vous aviez touché à l'alcool ces temps-ci, je l'aurais senti. Des yeux de taupe, un nez de limier et des oreilles de renard, c'est Harry.

Le vieil aveugle eut un sourire malicieux.

— Ce qui fait que je sais qu'elle est jolie, même si je ne la vois pas. Vous avez peur que je vous la chaparde, si vous faites les présentations, McQueen ?

— Bien sûr que j'ai peur, espèce de vieux séducteur, rétorqua Stone en riant.

— Tamara, voici Harry Katz. Mon seul ami, à une époque où je refusais d'en avoir. Harry, je vous présente Tamara King. C'est un soldat du feu. Et l'élue de mon cœur. Alors, bas les pattes.

L'élue de son cœur. Tamara se sentit rougir tandis qu'elle tendait sa main au vieil homme.

Stone aurait pu la prévenir, se dit-elle, avant de mâtiner son style, habituellement peu fleuri, de ce type d'expressions.

Elle le vit recouvrer soudain son sérieux :

— Harry, vous ai-je jamais demandé si vous aviez remarqué quelque chose de suspect, le jour de l'incendie ? s'enquit-il avant d'ajouter d'un ton hésitant : je ne devais pas être très cohérent à l'époque.

Avant de répondre, le vieil homme prit son temps :

— Vous en avez bavé, ça oui. Vous êtes venu presque tous les jours sur ce terrain vague pendant plus de six mois. Mais une chose est sûre, c'est que vous ne parliez jamais du feu. Vous ne *vouliez* pas en parler. Aucun des types qui sont venus enquêter ici ne m'a jamais posé de questions non plus. Qu'est-ce qu'un aveugle aurait bien pu leur dire ?

D'une main soudain tremblante, il frotta sa mâchoire hérissée de poils blancs.

— Comme on ne m'a rien demandé, j'ai tenu ma langue. De toute façon, qui aurait écouté une pauvre cloche comme moi ? Mais il est de retour, c'est ça ? J'étais sûr que c'était lui.

Stone dévisagea son interlocuteur avec stupeur.

— De qui parlez-vous, Harry ? Et de quoi étiez-vous si sûr ?

— Pas ici.

Indiquant d'un signe de tête l'ombre projetée le long de l'allée par le mur du bâtiment, l'aveugle affirma :

— Je suis comme les taupes, je préfère l'obscurité.

Tamara sentit la main de Stone se poser sur son bras tandis qu'ils suivaient le vieil homme.

— Par là.

Se retenant à une rambarde en métal rouillé, Harry les précéda au bas d'une série de marches en béton menant à une future entrée de cave. Un renfoncement juste assez spacieux pour les contenir tous les trois.

En tendant le cou, Tamara apercevait l'allée qui menait à la rue. De là, seul le dos de l'immense pancarte était visible.

— Vous l'avez vu, c'est cela ? demanda Stone d'une voix tendue. Robert Pascoe est venu rôder ici, hein, Harry ?

Katz ne sembla pas s'offenser de la bévue de Stone.

— Je ne l'ai pas vu, bien sûr, mais je l'ai entendu. Il vient un soir sur deux à peu près, se balader dans les parages. Vous êtes le seul, à part lui, à jamais avoir fait ça, précisa Harry. Je ne connais pas son nom. Tout ce que je sais, c'est qu'à mon avis, c'est lui, le salaud qui a fait flamber les tours. Ça fait déjà quelques semaines qu'il rôde par ici.

— Attendez, Harry, intervint Stone. Vous affirmez avoir idée de qui a mis le feu à ces tours, et vous ne l'avez jamais dit à personne ?

— Je dis seulement que la nuit qui a précédé ce feu d'artifice, je cuvais mon pinard devant une entrée de cave comme celle-ci, quand je me suis réveillé. Il y avait deux types qui s'engueulaient à voix basse. J'ai écouté un moment, mais dans l'état où j'étais, je ne comprenais pas trop ce qu'ils racontaient. Alors je me suis tourné, et je me suis rendormi. Mais le lendemain, quand tout a flambé, j'ai vite fait le rapprochement. Et là, j'ai eu la trouille de ma vie.

Harry Katz s'interrompit un instant, avant d'ajouter, à voix plus basse :

— Ce qui fait que j'étais drôlement content que personne ne soit venu m'interroger, McQueen. Quand vous êtes arrivé dans le coin, je savais qui vous étiez, et que vous aviez craqué, et donné votre démission. Alors même quand on s'est mieux connu, vous et moi, j'ai continué à tenir ma langue, parce que s'ils ne vous avaient pas crus vous, ce n'était pas moi qu'ils allaient croire.

En un long soupir, Stone exhala l'air qui se trouvait comprimé dans ses poumons.

— Vous avez raison, Harry, ils nous auraient sûrement envoyés promener. Mais aujourd'hui, peut-être réagiront-ils différemment. Dites-moi ce que vous avez entendu ce soir-là.

— Ce qui m'a réveillé, c'était le bruit d'un truc métallique contre le béton.

Tamara vit Katz froncer les sourcils dans la pénombre.

— J'ai entendu un des types, celui qui revient ici depuis un moment, dire à l'autre de ne pas s'inquiéter, qu'il suffirait d'une étincelle.

— Pascoe, sans doute, grinça Stone. Continuez.

— L'autre avait l'air en colère. Je crois bien qu'il l'a menacé. Il a dit qu'il allait le balancer, mais le premier, ça l'a fait rigoler. Il a répondu : « Jake, t'as trop à perdre pour l'ouvrir, tu diras rien, comme toujours... »

— Vous avez dit Jake ? demanda Stone. Le deuxième homme se prénommait donc Jake ?

— Il me semble me souvenir que c'est comme ça que l'a appelé le premier, votre... Pascoe. Mais bon, comme j'étais soûl, j'ai peut-être mal compris. En tout cas, c'est à ce moment-là que la conversation est devenue bizarre et…

Se figeant soudainement, Tamara interrompit le vieil homme d'une voix blanche :

— Harry, Pascoe aurait-il pu appeler son interlocuteur Jakey ? Est-ce ce terme que vous avez entendu ?

— Jakey. Oui, c'est ça. Ça m'avait fait penser à un nom de gosse.

Le vieil homme fit claquer ses doigts dans le noir.

— C'est ça !

Jakey était le surnom que se donnaient entre eux les pompiers de Boston.

— Ce salaud était l'un des nôtres, conclut Stone d'une voix blanche. Bon sang. Il savait ce qui allait arriver, et il a laissé cinq de ses camarades mourir.

— Vous le connaissez ?

Katz semblait confus, tout à coup.

— J'espère que non, répliqua McQueen entre ses dents. Mais racontez-moi la suite de cette conversation, et en quoi elle vous a semblé si… bizarre, Harry.

Le vieil aveugle poussa un soupir.

— C'est peut-être aussi à cause de l'alcool, reconnut-il, avant de reprendre consciencieusement son récit. C'est là, donc, que ce Jakey a dit quelque chose que je n'ai pas compris, mais qui a sérieusement énervé l'autre. Pascoe a répondu que le chinois disait n'importe quoi, que Jakey n'était responsable de personne, et que… Davidson avait toujours été un imbécile. Il me semble bien que c'était Davidson. Bref, l'autre n'était pas d'accord. Il a riposté un truc du genre : « Peut-être que Davidson n'a pas inventé la poudre, mais s'il était toujours en vie, il préférerait emporter ce qu'il sait dans la tombe plutôt que de m'impliquer. Alors que toi, il n'hésiterait pas à te faire tomber avec lui. »

Katz haussa légèrement les épaules.

— Pour moi, c'était juste deux gars qui se chamaillaient. Je crois que je me suis rendormi à ce moment-là, parce que je me souviens de rien d'autre. C'est le lendemain soir, que j'ai compris…

Harry leva brusquement la tête. Stone allait dire quelque chose quand l'aveugle lui fit signe de se taire.

Reculant d'un pas prudent au fond de leur abri, ce dernier murmura, d'une voix à peine audible :

— Ecoutez. Quelqu'un vient.

Quand il se tut, Tamara entendit à son tour le bruit étouffé d'une paire de semelles de cuir s'approcher sans hâte du bâtiment où ils se trouvaient. Cela ressemblait plutôt à un pas d'homme, se dit-elle, mais elle n'aurait rien pu affirmer d'autre concernant son propriétaire.

Pour l'aveugle, un bruit de pas semblait en revanche suffire à identifier quelqu'un — aussi sûrement que s'il avait vu son visage.

— C'est lui, marmonna Katz dans sa barbe. C'est l'homme que vous appelez Robert Pascoe, McQueen.

16.

Elle se serait crue dans un film, songea Tamara sans quitter des yeux la silhouette qu'ils suivaient à distance. Même en avançant au ralenti, Stone devait régulièrement immobiliser leur véhicule afin d'éviter de rattraper l'homme qui remontait la rue à une vingtaine de mètres devant eux. Craignant qu'il ne monte soudain dans une voiture garée le long du trottoir, ils n'avaient pas voulu prendre le risque de perdre la trace de Pascoe en le suivant à pied.

S'il s'agissait bien de Robert Pascoe.

Car Katz avait lui-même reconnu qu'il était ivre mort, la nuit où il avait surpris cette dispute entre deux hommes. Dans ce cas, se demanda Tamara, comment, pouvait-il être *si sûr* d'avoir reconnu la voix — et le pas — de celui qui depuis quelque temps, visitait régulièrement le site ?

Les mains gantées, un chapeau enfoncé sur ses yeux et le col de sa veste remonté jusqu'au menton, l'homme s'était arrêté un moment devant l'immeuble en construction, avant de reprendre sa route. L'obscurité aidant, ils n'avaient à aucun moment pu distinguer ses traits.

— C'est l'homme invisible, avait maugréé Stone avec frustration. Attends-moi là, Tam.

— Où vas-tu ? avait-elle demandé.

D'une voix sous-tendue par la colère, il avait répliqué :

— L'arrêter, bien sûr. Je ne vais tout de même pas laisser ce type filer comme ça.

Oubliant qu'il ne pouvait la voir, elle avait adressé un bref regard d'excuses à Harry avant de protester :

— Imagine que ce ne soit pas Pascoe. Et même si c'est lui, il prendra ses jambes à son cou dès qu'il te verra. Harry vient de nous dire qu'il venait régulièrement ici. Il doit connaître tous les raccourcis à la ronde.

— Et que proposes-tu ?

— De le suivre, avait-elle répondu, de découvrir où il habite. Et d'appeler oncle Jack afin d'obtenir des renforts.

S'il n'avait eu aucun doute concernant l'identité de cet individu, se disait à présent Tamara, Stone se serait obstiné. Il n'avait cédé à ses arguments que parce que le récit de Harry lui avait semblé, comme à elle, trop nébuleux.

— Nous avons déjà le nom d'un certain Davidson, assura-t-elle, qui serait apparemment mort avant l'incendie des tours. Harry avait l'air plutôt sûr de lui à ce sujet.

— Une piste en béton, ironisa Stone en limitant encore la vitesse de son véhicule. C'est un nom plutôt courant, et nous ne savons rien de ce type. A part qu'il aurait pu tomber à la place de ce mystérieux Jakey. Tu peux aussi bien écrire « affaire classée » sur le dossier et l'oublier dans un tiroir.

— Tu ne devrais pas serrer les lèvres comme ça, McQueen, rétorqua Tamara avec froideur. Ta coupure s'est rouverte.

Stone porta un index hésitant à sa lèvre meurtrie, avant de lui lancer un regard de reproche.

— Tu es mauvaise joueuse, et tu frappes en dessous de la ceinture, fit-il remarquer avec une ironie amusée.

— Seulement lorsque tu en as besoin, McQueen, répliqua Tamara.

— Je crois que j'en ai soudain très besoin.

Il soutint son regard et Tamara sentit la chaleur du désir l'envahir. En toute autre circonstance, elle l'aurait pressé de faire demi-tour, et sans doute auraient-ils tous deux cédé à ce désir, sans même avoir atteint sa chambre.

Mais ils savaient aussi bien l'un que l'autre que ce n'était ni le lieu ni l'heure pour ce genre de complaisances.

— Quand toute cette histoire sera terminée, dit-elle d'une voix soudain mal assurée, je suggère que nous ne sortions pas de la chambre trois jours durant. Nous débrancherons le téléphone, nous baisserons les stores, nous oublierons le reste du monde, et nous ferons l'amour. Qu'en dis-tu ?

— Je suis d'accord, ma chérie.

Stone lui caressa les cheveux.

— Quand tout cela sera fini, je ne laisserai personne nous en empêcher.

Puis il retira sa main avec un léger soupir.

— Pardonne-moi de m'être énervé contre toi, Tam.

Elle vit l'étreinte de ses doigts se resserrer sur le volant avant qu'il n'ajoute :

— Mais j'ai bien connu Harry à l'époque où il buvait, et son histoire est pour le moins nébuleuse.

— C'est tout ce que nous avons, rappela Tamara tout en concentrant son attention sur la silhouette qui continuait d'avancer le long du trottoir. Mais il est vrai que son récit était un peu… hé ! Où est-il passé ?

Elle n'avait pas quitté Robert Pascoe des yeux, et voilà qu'il venait de disparaître, comme par enchantement.

— Il a dû s'engouffrer dans un immeuble.

McQueen immobilisa aussitôt leur véhicule le long du trottoir.

— A partir de là, je vais continuer seul, Tam. Si je ne suis pas revenu dans cinq minutes, appelle Jack. Compris ?

— Oui, mais…

Les yeux agrandis par l'inquiétude, Tamara vit Stone ouvrir sa portière. Dès qu'il eût posé le pied sur le trottoir, elle commença à compter entre ses dents :

— Un… deux… trois…

Arrachant les clés de contact, elle bondit à son tour hors du véhicule et le rattrapa en quelques enjambées.

— J'ai dit que je comprenais, protesta-t-elle comme il se retournait pour lui faire face. Mais pas que j'étais d'accord.

— Ecoute, Tamara…, commença Stone d'un ton furieux.

— C'est toi qui vas m'écouter, McQueen. Je n'ai pas l'habitude d'attendre devant un bâtiment en flammes que les gars aient nettoyé le terrain pour y pénétrer à mon tour. J'y entre en même temps qu'eux, et je prends les mêmes risques qu'eux. Alors, allons-y.

— Tu me rends dingue, marmonna Stone en allongeant le pas tandis qu'elle trottinait pour soutenir son allure.

Soudain, Tamara désigna la vitrine d'une boutique à l'aspect miteux.

— C'est *là* qu'il a disparu de ma vue.

Ils découvrirent une porte dans un renfoncement du mur.

— Laisse-moi au moins passer devant, grommela Stone. Cette porte doit mener à un appartement au-dessus du magasin. Tu as une carte de crédit sur toi ?

Tamara secoua la tête en signe de dénégation.

— Surveille la rue, dit-il.

Saisissant la poignée à deux mains, Stone s'arc-bouta contre la lourde porte.

Elle vit ses biceps se gonfler sous l'effort, entendit le métal grincer sous la pression. Il poussa un ultime grognement, puis la serrure céda, et la porte s'ouvrit brusquement sur ses gonds.

— Mon héros ! murmura Tamara, impressionnée.

Un sourire fugitif aux lèvres, Stone cligna des yeux dans la pénombre du corridor.

— Il ne doit y avoir qu'un seul appartement. Suis-moi.

Le dos collé au mur, il commença à gravir l'escalier. Même dans l'exercice de ses fonctions, songea Tamara en lui emboîtant le pas, elle n'avait pas pour habitude de pénétrer chez les gens de manière aussi furtive. Elle sentit quelque chose de mou sous sa chaussure et retint un cri.

— Stone, regarde… un gant de cuir. C'est bien par cette porte qu'il est entré, dit-elle dans un souffle. Il doit habiter là. Filons et trouvons un téléphone.

Ils avaient atteint un minuscule palier. Un rai de lumière filtrant sous l'unique porte qui faisait face aux marches lui permit de distinguer l'expression de Stone lorsqu'il lui prit le gant des mains.

Les sourcils froncés, il secoua la tête, avant de river dans le sien un regard imperturbable.

— Je ne *peux pas* faire demi-tour, Tamara. Il faut que je sache s'il s'agit de Pascoe. Il faut que je voie ce fumier en face.

Tamara sentit alors une peur mêlée de colère l'envahir. Un sentiment confus qui s'évanouit aussitôt.

Robert Pascoe avait détruit la vie de Stone, se dit-elle. Il avait tué cinq de ses collègues, ainsi que d'innombrables innocents. Et il se trouvait peut-être derrière cette porte.

— Si c'est lui, tu penses être capable de le maîtriser ?

— Je peux maîtriser n'importe qui, répliqua Stone entre ses dents. Et ce type n'a rien d'un athlète. Il a plutôt l'allure d'un dandy et d'un séducteur. Mais je veux que tu te tiennes en retrait, et cette fois, ce n'est pas négociable, OK ?

— O.K., acquiesça Tamara.

La bouche sèche et les mains soudain moites, elle regarda Stone s'avancer vers la porte.

— S'il demande qui est là, laisse-moi parler, insista-t-elle. Il ouvrira peut-être plus facilement s'il s'agit d'une femme.

Stone hésita avant d'acquiescer d'un bref hochement de tête. Se tournant vers la porte, il y frappa un coup discret.

— Oui, répondit une voix.

Un instant plus tard, Tamara entendit un bruit de pas étouffés de l'autre côté de la porte.

— Qui est là ?

McQueen s'écarta de l'œil télescopique, et Tamara avala sa salive avant de répondre :

— Je… je cherche Claudia Anderson. C'est bien ici ?

Un silence lui répondit. Puis elle entendit glisser une chaîne de sécurité, et se recroquevilla contre le mur.

— Entrez, McQueen, proposa une voix amusée. Vous avez mis sacrément longtemps avant d'arriver.

La porte s'ouvrit. La lumière du vestibule inonda le palier et Tamara dévisagea avec horreur l'individu qui se dressait devant eux.

Elle avait l'habitude de voir des grands brûlés, et parvenait aisément à contempler l'être humain qui se dissimulait sous les stigmates de leurs visages. Etait-ce parce qu'ils appartenaient à un monstre que le spectacle de ces traits défigurés lui parut insoutenable ?

Comme fondus dans la masse, ils semblaient révéler la noirceur de son âme. Au cours des sept dernières années, l'arme qu'il avait tant de fois utilisée contre d'innocentes victimes semblait s'être retournée contre lui.

— Dans le passé, dit-il, trouver une jolie femme sur le seuil de ma porte était plutôt habituel. Aujourd'hui, je m'estime heureux quand elles ne hurlent pas en apercevant mon visage au cours de mes promenades nocturnes. Alors peut-être devrais-je éteindre la lumière, suggéra Pascoe en jetant un coup d'œil à l'ampoule nue suspendue au plafond. Vous avez l'air secoué, McQueen. Ne vous inquiétez pas, c'est bien moi.

— Je le sais, Pascoe, grinça Stone. Mais comment avez-vous deviné que j'étais derrière votre porte, avant même de l'avoir ouverte ?

Un son ressemblant à un rire s'échappa de la gorge de Pascoe.

— Dès mon retour à Boston, il y a quelques semaines de cela, il a *fallu* que je vienne me balader par ici. Et j'ai parié que si je ne pouvais pas m'en empêcher, ce serait également le cas de mon vieil ami McQueen. Je n'arrive pas à croire qu'ils construisent un nouvel immeuble sur ce site, et vous ?

— Je ne suis pas votre ami, Pascoe. Je suis là pour vous arrêter, répliqua Stone, le visage fermé. Allons-y.

Son interlocuteur ne bougea pas d'un millimètre.

— Vous êtes certain que vous souhaitez m'arrêter ? Parce qu'une fois que vous m'aurez remis aux autorités, mon existence va les déranger autant que la vôtre, car je suis l'homme qu'ils considéraient comme le produit de votre imagination. Ils ne voudront jamais reconnaître leur aveuglement. Ils vont donc me mettre un banal incendie sur le dos afin de me coffrer, sans vouloir s'intéresser au reste. Ils ne me poseront jamais les questions que vous aimeriez me poser, McQueen.

Sa bouche informe produisit un semblant de sourire.

— Mais si vous ne voulez pas non plus en connaître la réponse, alors laissez-moi enfiler un manteau, et je vous suivrai sans broncher.

— Restez où vous êtes, ordonna Stone d'une voix cinglante. J'ignore à quoi vous jouez, Pascoe, mais je ne suis pas stupide au point de croire que vous allez me laisser vous arrêter aujourd'hui plus facilement qu'il y a sept ans.

— Il y a sept ans, j'étais un être humain. Non — j'étais *Dieu*.

Une excitation soudaine avait étreint la voix de Pascoe.

— Dès que j'en avais envie, je pouvais enflammer la nuit et vous regarder tous essayer de sauver votre peau tandis que le monde s'écroulait autour de vous. Imaginez-vous ce que j'ai pu ressentir ?

Les terribles cicatrices de son visage se tordant en une grimace angoissée, il éleva alors ses mains devant lui.

Deux appendices hideux émergèrent des manches de son pull-over. Sa main droite ressemblait à une pince, et la gauche n'était plus qu'un moignon.

— Je ne peux même plus tenir une allumette ! Voilà pourquoi je suis prêt à vous suivre, McQueen — je n'ai plus rien à attendre de la vie.

— Le monstre s'est retourné contre vous, Pascoe. Pour moi, ce n'est que justice.

Les bras de Pascoe retombèrent le long de son corps, l'émotion qui s'était emparée de lui semblant s'évanouir tout à coup. Lorsqu'il reprit la parole, un amusement affable perçait de nouveau dans sa voix.

— C'est un beau brin de fille, mon vieux. Et combative, avec ça. Mais il est vrai que vous n'avez jamais eu de mal à les trouver, même si vous n'arrivez pas à les garder. J'avoue rencontrer le même genre de problèmes depuis quelque temps. J'ai rendu visite à une de mes ex, il y a quelques semaines, mais j'ai eu la nette impression de ne plus être tout à fait l'homme de ses rêves. En fait, je lui ai fait si peur qu'elle semble avoir quitté la ville. Est-ce que je vous fais peur, à vous aussi, ma jolie ?

Le visage assombri par la colère, McQueen fit un pas en avant, mais posant une main sur son bras, Tamara répondit d'une voix posée :

— Oui, vous me faites peur. Mais pas à cause de votre visage. Vous me faites peur parce que j'ai vu trop de vies détruites par des cinglés de votre espèce.

Elle se tourna vers McQueen.

— Il a raison, Stone. Une fois que tu l'auras remis aux autorités, ils ne te laisseront plus l'interroger.

Avant même qu'elle n'ait achevé sa phrase, Stone secoua la tête avec fermeté.

— Je le connais, Tam. Je sais de quoi il est capable.

— Cet homme a cessé d'être dangereux, affirma Tamara. Bon sang, Stone, nous devons en savoir plus. N'oublie pas qu'un des nôtres est impliqué. Je refuse de laisser cette histoire passer à la trappe.

Puis, se tournant vers Pascoe :

— Nous savons que vous aviez un contact chez nous. Qui était-ce ?

— Un associé d'une époque révolue, répondit Pascoe en lui glissant un regard en biais. Très joli prénom, ma chère. Comment vos proches vous appellent-ils ? Tamara ?

McQueen s'interposa aussitôt entre eux.

— L'époque où vous travailliez pour Bracknell Curtiss ? Avant que vous ne l'assassiniez ?

Forçant Pascoe à reporter son attention sur lui, il se fit plus insistant :

— C'était l'un des nôtres qui vous fournissait des informations et vous protégeait, n'est-ce pas, Pascoe ? Qu'est-ce qui peut pousser un pompier à se retourner ainsi contre les siens ?

— Ce type avait eu des petits problèmes, dont Curtiss l'a débarrassé. J'avais prévenu Bracknell qu'il jouait avec le feu, si j'ose dire, mais il a refusé de m'écouter.

La bouche de Pascoe se tordit de nouveau en une parodie de sourire.

— Ce n'est pas contre les siens que cet homme s'est retourné, McQueen, mais contre Curtiss. C'est *lui* qui l'a tué.

— Vous mentez, affirma Stone d'un ton sec. Vous avez signé cet incendie en utilisant ce combustible pour fusées que vous affectionnez tant.

— Il s'est servi de ce produit afin de faire croire à ma culpabilité, objecta Pascoe. Et il vient de recommencer dans l'incendie de cet hôtel meublé. Vous êtes sur la mauvaise piste, McQueen.

Croyez-vous vraiment que je pourrais encore déclencher un incendie avec ça ?

Il leva les moignons qui lui faisaient office de mains.

— Ce type savait où j'entreposais le combustible. Une formule découverte par un givré au milieu du désert californien, à l'époque où j'opérais dans l'ouest du pays avec Bracknell. Ce type-là aussi avait eu des problèmes, mais comme il ne payait pas ses dettes, Bracknell m'a envoyé lui régler son compte à titre d'exemple. Voyant à quel point son produit était performant, j'en avais emporté un stock avec moi quand nous nous sommes localisés sur Boston. Et votre copain m'en a volé un entier bidon. Savez-vous de combien d'incendies il m'a privé en faisant cela ?

— Je m'en contre-fiche, gronda Stone. Tout ce que je veux savoir, c'est le nom de ce salaud. Qui était-ce, Pascoe ?

— Si vous ne me laissez pas raconter l'histoire comme je l'entends, je préfère me taire, répliqua Pascoe d'un ton catégorique. Contrairement à lui, parler des feux que j'ai allumés est tout ce qui me reste, McQueen.

— Vous voulez dire qu'il fait toujours partie de la brigade, qu'il est toujours opérationnel ?

A cette pensée, Tamara ferma les yeux.

— Nous n'avons jamais été très amis, lui et moi, expliqua Pascoe. Nous étions plutôt des ennemis qui détenaient suffisamment d'informations l'un sur l'autre pour parvenir à travailler ensemble. Sauf que ce type se considérait du bon côté de la barrière. Il se trouvait toujours de bonnes excuses.

Le regard de Pascoe s'attarda un moment sur elle.

— Vous a-t-on jamais dit que vos cheveux ressemblaient à des flammes, Tamara ? Je parie que les autres enfants vous taquinaient à ce sujet quand vous étiez gamine. Personnellement, je trouve les rousses très sexy.

— Je vous interdis de vous adresser à elle. De seulement *poser* les yeux sur elle, gronda Stone d'une voix blanche.

— Je ne tiens pas à marcher sur vos plates-bandes, vieux.

A son grand soulagement, Tamara vit le regard de Pascoe se détacher d'elle.

— J'aurais fini comme Bracknell, affirma ce dernier, reprenant ses explications, si le pompier et moi n'avions conclu un pacte. Celui de ne jamais balancer l'autre. Ça a marché jusqu'à l'incendie des tours Mitchell. Mais là, j'avais été un peu trop loin à son goût. C'est pourquoi j'ai dû quitter la région.

La mâchoire de Stone était si contractée que les mots semblèrent peiner à franchir ses lèvres :

— C'était du meurtre prémédité. Vous avez attendu qu'ils soient tous les cinq entrés dans le bâtiment avant d'appuyer sur le détonateur.

— Non, McQueen. C'est votre arrivée, que j'attendais, rectifia Pascoe d'une voix étrangement douce.

— *Mon* arrivée !?

Jetant un regard dans sa direction, Tamara vit que la lumière se faisait dans l'esprit de Stone.

— C'était donc ça ! J'étais trop près du but, et vous avez voulu m'éliminer de la course. Vous avez alors tué cinq personnes, puis disparu, à seule fin de demeurer une créature que j'aurais inventée de toutes pièces, et de tout me mettre sur le dos ?

Sous son hâle, le visage de Stone avait pris un teint cireux. Il fit un pas en avant.

— Je vais vous faire la peau, menaça-t-il d'un voix épaissie par la fureur.

— Trop tard, McQueen ! gronda Pascoe, son masque d'affabilité disparaissant tout à coup.

Les yeux agrandis par la peur, Tamara vit une haine implacable s'inscrire dans son regard.

— J'ai une longueur d'avance sur vous, McQueen, comme toujours. J'ai tout prévu. Je vous emmène avec moi.

D'un geste aussi vif que l'éclair, Pascoe appuya sur l'interrupteur du couloir. Tamara vit un cri de triomphe déformer sa bouche. Elle vit l'ampoule au-dessus d'eux s'embraser comme un soleil…

— Tam !

Tout en hurlant son nom, Stone l'avait saisie à bras-le-corps. S'enroulant autour d'elle, il plongea littéralement dans le vide, en direction de la cage d'escalier. Ils atterrirent à mi-étage dans un fracas, avant de dégringoler jusqu'à la dernière marche.

Les yeux rivés sur la boule de feu qui s'engouffrait à leur suite dans la cage d'escalier, Tamara remarqua à peine la violence du choc.

Stone se releva instantanément. Elle eut le temps d'apercevoir l'expression tendue de son visage tandis qu'il la hissait jusqu'à lui, ouvrait la porte de l'immeuble et prenait une dernière fois son élan.

Le trottoir sembla se soulever à leur rencontre. La protégeant toujours de la cuirasse de son corps, Stone roula sur lui-même. Tamara vit alors la boule de feu surgir de la porte du bâtiment pour s'élancer à leur poursuite sur le trottoir. Elle sentit la chaleur de son souffle la frapper de plein fouet. Un goût d'essence, de poussière et de goudron lui emplit la bouche. Puis, soudain, l'air frais pénétra de nouveau ses poumons. Et ils s'immobilisèrent.

— Tam, ça va ? Dis quelque chose, Bon Dieu !

Du sang coulait du front de Stone jusque dans son œil gauche, et la peur assombrissait son regard.

— Parle-moi, chérie.

— Je… je vais bien. Mais toi, Stone…

Elle vit la barre qui marquait son front, le pli de douleur qui déformait sa bouche.

— Ça va, répondit-il. Bon sang, tu aurais pu y rester. J'aurais dû me douter qu'il avait un plan diabolique en tête.

Il la serra entre ses bras comme s'il avait peur de la voir disparaître.

— Je t'ai déjà perdue une fois, mon ange. Trouvée, puis perdue, au cours de la même nuit. En te laissant, je savais que je détruisais tout ce qui avait pu se passer entre nous. Je me suis ensuite juré que si la vie m'accordait une deuxième chance, cette fois, je ne te laisserais jamais repartir. Mais quand j'ai vu ce dingue appuyer sur cet interrupteur…

— Enfin, que veux-tu dire avec cette histoire de m'avoir trouvée, puis perdue ?

Tamara leva les yeux vers lui.

— A quelle nuit fais-tu allusion…

La lumière se faisant soudain dans son esprit, elle se figea. Elle tenta de prendre une inspiration, sans y parvenir.

— C'était… toi ?!

Ces mots franchirent ses lèvres comme s'ils avaient été arrachés à sa gorge. Elle vit une lueur de souffrance traverser le regard de McQueen, qui tenta de dire quelque chose. Envahie par une fureur qui brûla sur son passage toutes ses certitudes — tout ce qu'elle pensait savoir de lui — elle appliqua ses deux mains tremblantes sur son torse, et se dégagea de son étreinte.

— C'était toi !? s'exclama-t-elle d'une voix discordante.

Elle le dévisagea avec une colère incrédule. Comment ne l'avait-elle pas compris plus tôt ?

— L'homme avec qui j'ai couché, la nuit de mon mariage, c'était… toi !

A cet instant, les flammes engloutirent la devanture noircie du magasin, et la vitrine vola en éclats. Tamara eut alors l'impression que c'était son cœur que transperçaient en retombant ces fragments de verre.

17.

— Inutile de l'attendre, affirma Tamara à l'adresse de Pangor, qui semblait chercher Stone. Il ne reviendra pas.

C'était drôle, se dit-elle en s'asseyant à la table de la cuisine. Ce chat avait passé sa vie à se méfier et à évincer l'affection de tous les êtres humains, pour tomber sous le charme d'une grosse brute à la voix de stentor.

— Stupide animal, observa-t-elle avec lassitude. Aussi stupide que moi.

Après l'explosion de l'appartement de Pascoe, refusant le bras que Stone lui tendait pour l'aider à se relever, elle l'avait menacé du regard en déclarant :

— Ne me touche *surtout* pas.

Sans se retourner, elle s'était dirigée vers sa voiture. Bientôt, s'était-elle dit, un contingent de soldats du feu s'attaquerait au dernier des incendies provoqués par Robert Pascoe. Cette fois, ce serait sa propre dépouille calcinée qu'ils sortiraient des décombres. Sans Stone, avait-elle pensé, ils auraient également pu y trouver la sienne.

En même temps qu'il l'avait détruite, il lui avait sauvé la vie.

— Tu es recherché. Il vaut mieux qu'on ne te trouve pas à

proximité d'un incendie, avait-elle ajouté d'une voix blanche par-dessus son épaule. Dis-moi où tu veux que je te dépose.

— Je vais d'abord te ramener chez toi.

Il lui avait pris les clés des mains.

— De là, j'appellerai un taxi.

— Non, Stone, avait-elle protesté tandis qu'il ouvrait la portière du passager à son intention. Je me dois de te déposer où tu le souhaiteras, mais je veux que tu disparaisses de ma vue le plus vite possible.

Il avait fermé les yeux, accusant le coup. Lorsqu'il les avait rouverts, c'était comme si les trois jours qui venaient de s'écouler n'avaient jamais existé. De nouveau, il ressemblait à l'homme qui, dressé devant la fenêtre de cette chambre d'hôtel miteuse, avait touché le fond.

— Très bien, avait-il répondu d'une voix tendue en lui remettant les clés.

Au moment où elle mettait le véhicule en marche, elle avait vu les camions de pompiers arriver, les équipes rassembler leur énergie avant d'intervenir. Après avoir prononcé une prière silencieuse à leur intention, comme elle le faisait toujours, elle lui avait demandé :

— Aurais-tu fini par me l'avouer un jour ?

— J'en avais l'intention. J'espère que j'en aurais eu le courage.

— C'était comment, McQueen ? avait-elle alors demandé d'un ton sarcastique. C'était bien ? J'étais si soûle que pour moi tout s'est déroulé comme dans un brouillard.

Son détachement apparent se fissura soudain :

— Espèce de salaud ! Tu as profité de moi au moment où j'étais le plus vulnérable.

— Ce que j'ai fait ce soir-là était indigne, avait convenu Stone avec dureté, les yeux rivés sur le flot des voitures. Mais… lorsque je t'ai regardée, assise en face de moi à cette table, si vulnérable, justement, je jure que je n'ai pensé qu'à une chose : te faire oublier ce chagrin qui t'étreignait.

Comme ils approchaient d'un feu rouge, elle avait ralenti.

— Peut-être voulais-je également noyer le mien. Ce jour-là, j'avais assisté aux funérailles de Donna Burke. Après la cérémonie, je suis entré dans le premier bar sur ma route et j'ai commencé à boire. Bien sûr, cela ne m'excuse en rien.

C'était ce jour-là, s'était alors souvenue Tamara, que Stone avait donné sa démission. Celui où il s'était engagé sur une pente qu'il avait failli ne jamais remonter. A cette pensée, et s'en voulant aussitôt de sa faiblesse, elle avait senti sa colère envers lui s'ébranler l'espace d'un instant.

— Bon, mais sept années ont passé, depuis, avait-elle protesté. Et la nuit dernière, tu savais parfaitement qui j'étais, avant de t'introduire dans mon lit.

L'inflexion de sa voix était montée d'un cran.

— Alors que moi, j'ignorais à qui j'avais affaire.

Comme s'il se parlait à lui-même, Stone avait marmonné :

— J'ai cru que la vie m'offrait une chance de me racheter, et que je pourrais gagner ton amour.

Elle l'avait dévisagé avec fureur.

— Justement, tu y as réussi. Et c'est ce qui me rend malade ! Je suis vraiment tombée amoureuse de toi.

— Non, Tamara. Tu n'en n'étais pas loin, mais une part de toi s'est dérobée, parce qu'une fois encore, tu te méfies trop pour tomber vraiment amoureuse de quiconque. J'ai d'abord cru que c'était à cause de la trahison de Rick. Mais, non, de toute évidence, c'est autre chose.

Le feu était toujours au rouge. Il avait ouvert la portière et était descendu de la voiture. Après un bref regard au néon clignotant d'un bar, il s'était retourné vers elle et s'était brièvement rassis sur le siège du passager pour dire :

— Depuis le début, tu attends que ça casse, n'est-ce pas ?

Elle avait levé vers lui un regard stupéfait. La saisissant vivement par la nuque, Stone avait alors approché son visage du sien et l'avait embrassée avec fougue, pour la relâcher aussitôt.

— C'est pour cela que tu te refusais à me dire que tu m'aimais, avait-il ajouté avec une soudaine douceur.

Il était ressorti de la voiture, avait refermé la portière derrière lui et avait traversé la rue sans se retourner. Le feu était passé au vert, et elle avait accéléré, fixant aveuglément la route devant elle.

— Je le lui ai dit, s'écria-t-elle à l'adresse des quatre murs de sa cuisine déserte. Je lui ai forcément dit que je l'aimais.

Lui, le lui avait répété toute la nuit, et ce matin, encore, lorsqu'elle avait ouvert les yeux.

Je veux que ce soit comme la première fois pour toi, parce que je pense à toi comme à l'unique femme de ma vie.

Il lui avait dit cela, aussi, se rappela Tamara en serrant les poings. Et elle, lui avait juré qu'on pouvait racheter le passé.

Ils avaient menti tous les deux. Car on ne pouvait gommer le passé, et parce que lui, avait trahi sa confiance.

Tamara poussa un soupir, et pensa qu'elle devrait appeler oncle Jack afin de l'informer de ce qu'ils avaient appris. Se levant avec raideur, elle marcha jusqu'au téléphone.

A l'instant où elle approchait sa main du combiné, la sonnerie du téléphone retentit. C'était Stone, elle en était sûre.

— Allô ? Allô ?

Mais ce n'était pas lui. Elle ferma les yeux.

— Qui est à l'appareil ?

La voix à l'autre bout du fil sembla hésiter :

— … Tamara ? C'est Bill Trainor.

Tamara ouvrit brusquement les yeux.

— Que voulez-vous ? Si vous cherchez McQueen, il n'est pas là.

— Je le sais. Nous sommes passés chez vous cet après-midi dans l'espoir de le trouver.

Soulagée à l'idée de pouvoir enfin déverser sa rage sur quelqu'un, elle répliqua d'une voix cinglante :

— Si vous remettez les pieds chez moi, j'appelle la police, compris ?

— Vous avez raison. Nous n'avions aucun droit de nous introduire chez vous. Ni même de rechercher McQueen. C'est la raison pour laquelle je vous appelle. Savez-vous où je peux le trouver ? C'est… c'est important.

Prête à fustiger de nouveau son interlocuteur, Tamara se ravisa, alarmée par la *peur* qu'elle venait de distinguer dans la voix de Trainor.

— Qu'est-ce qui ce qui se passe, Trainor ?

Il y eut un silence, durant lequel elle imagina son regard indécis sous les lunettes cerclées d'or. Enfin, d'une voix tendue, il répondit à sa question :

— Nous n'avons rien contre McQueen, pas le moindre indice suggérant sa responsabilité dans l'incendie de cet hôtel meublé. Mais Knopf veut sa peau à tout prix. Il est capable d'inventer une histoire de toutes pièces pour l'avoir. J'ai fermé les yeux sur beaucoup de choses en ce qui concerne Tommy, mais là, nos chemins se séparent.

— Il serait prêt à faire enfermer un innocent ? s'exclama Tamara en resserrant l'étreinte de ses doigts autour du combiné. Il est fou !

— Peut-être, marmonna Trainor. Oui, je crois qu'il a grillé un fusible. Il en veut à McQueen depuis l'histoire du Dazzlers — moi aussi, je l'ai haï pour nous avoir ridiculisés aux yeux de tous.

— Ce n'est pas la faute de Stone si vous vous êtes montrés incompétents, objecta Tamara. Mais tout cela, c'est de l'histoire ancienne. Que s'est-il passé pour que Knopf voie rouge tout à coup ?

— Je l'ignore, répliqua Trainor. Mais je soupçonne que c'est lié au fait que McQueen s'est de nouveau lancé sur les traces de Pascoe. Je… je ne crois pas que Knopf veuille qu'on arrête ce type.

— J'avais cru comprendre qu'il ne croyait pas à son existence.

— C'est effectivement ce qu'il a toujours soutenu. Mais en fait, je crois qu'il sait qu'il existe, et qu'il a peur de ce qu'il dira, si on l'arrête.

— Vous croyez qu'il le connaissait ?

Tout prenait sens, se dit Tamara en se remémorant le récit de Harry Katz. Knopf aurait-il été le contact de Pascoe au sein de la brigade ?

— Je crois que c'est encore plus grave que cela, répliqua Trainor.

Sa voix se durcit :

— Je crois qu'il a payé Pascoe pour tuer quelqu'un.

— Mon Dieu ! Qui ?

— J'ignore son nom. C'était bien avant mon temps, à l'époque où Knopf était encore simple pompier. Un enquêteur qu'il admirait a dû démissionner après s'être fait descendre en flèche par un expert en assurance. Ce n'est pas un secret. Tous ceux qui l'entouraient connaissaient la haine que Tommy vouait à ce malheureux expert.

A ces mots, Tamara sentit un bourdonnement lancinant emplir ses oreilles, s'amplifiant jusqu'à ce que la voix de Trainor ne soit plus qu'un filet lointain.

Elle le savait ! Elle avait toujours su qu'elle n'était pas seule sur ce parking, tandis que les flammes dévoraient la chambre de motel dans laquelle était en train de périr sa famille. Elle avait vu deux silhouettes — deux silhouettes masculines, debout près d'une voiture. Eux aussi l'avaient vue, et l'un d'eux avait ri avant de demander : *T'a-t-on jamais dit que tes cheveux ressemblaient à des flammes, petite ?*

Ensuite, elle avait entendu deux portières claquer, puis elle avait perdu conscience.

Elle l'avait toujours su, songea Tamara avec horreur. Mais elle en avait jusque-là bloqué le souvenir aux confins de sa mémoire.

— Knopf vous a-t-il parlé personnellement de cet expert en assurances ?

Ses lèvres étaient glacées, mais le rugissement à ses oreilles s'était légèrement amenuisé.

— Non. Mais quand je lui ai demandé pourquoi il voulait à tout prix la peau de McQueen, il a marmonné dans sa barbe que c'était à cause d'une vieille histoire et d'un expert trop curieux.

« Mais vous ignorez qui était cet expert, n'est-ce pas ? » songea Tamara, l'esprit comme engourdi. « Vous ignorez que sa femme et son petit garçon furent tués en même temps que lui, et que vous vous adressez en ce moment à sa fille — la seule survivante de la famille. »

— … Et j'ai peur que Knopf ne parvienne à faire accuser McQueen, poursuivit Trainor. Il y a sept ans, tout le monde le suspectait, et si Tommy prétend avoir découvert de nouvelles preuves l'accablant, personne ne m'écoutera, ajouta-t-il d'une voix inquiète. Pascoe est la seule personne capable de l'innocenter. Alors conseillez-lui de le trouver avant que Knopf ne mette la main sur lui.

— Je ne sais pas encore comment, mais je me débrouillerai pour le prévenir… merci, Trainor.

Ses mains avaient cessé de trembler, remarqua Tamara en reposant le combiné avant de le décrocher aussitôt.

Au lieu de l'appeler chez lui, elle composa involontairement le numéro du téléphone portable d'oncle Jack. Serrant les lèvres avec irritation, elle raccrocha en hâte, mais eut le temps d'entendre le grésillement indiquant que la connexion s'était effectuée.

La sonnerie étouffée d'un téléphone résonna alors dans le silence de la maison, puis se tut brusquement.

Saisie d'une frayeur soudaine, Tamara reposa lentement le combiné sur son socle et se retourna.

Dans la pénombre du corridor se dressait oncle Jack. Les sourcils froncés, il replaça son téléphone portable dans sa poche en marmonnant :

— Je déteste ces trucs.

Puis il leva vers elle un regard dénué d'expression.

— Tu sais tout, maintenant, hein, ma puce ?

— Oui, convint Tamara avec l'impression qu'aucun son n'avait franchi ses lèvres. Je crois que je l'ai toujours su.

Elle ferma un instant les yeux.

... les autres enfants se moquent de toi, hein ? C'était le plus mince des deux hommes qui avait lancé cette boutade. Mais pendant ce temps, son regard à elle était rivé sur la plus massive des deux silhouettes. Elle allait crier son nom, lorsque l'homme — celui qui la faisait régulièrement sauter sur ses genoux chez ses parents — avait porté ses deux mains à son visage. Comme pour cesser de la voir, ou pour éviter qu'elle ne le reconnaisse. Elle avait vu ses épaules trembler, ce qui l'avait effrayée au point de renoncer à l'appeler au secours. Pourquoi n'accourait-il pas pour la prendre dans ses bras, s'était-elle demandé. Pourquoi ne se lançait-il pas au secours de maman, de papa, et de Mickey ?

Oncle Jack était pompier ! C'était un héros ! Pourquoi, alors, remontait-il dans sa voiture, au lieu de les aider ?

Elle savait pourquoi. Mais elle avait refusé de l'admettre.

Juste avant que son esprit terrifié ne sombre dans l'inconscience, la petite fille qu'elle était s'était juré de ne jamais laisser cette pensée atteindre de nouveau son esprit...

Tamara ouvrit les yeux, et glissa un regard en direction du téléphone. Avec un soupir, et comme à contrecœur, Jack s'approcha d'elle avant d'affirmer d'une voix douce :

— Je ne peux pas te laisser téléphoner, ma puce. Je n'ai jamais voulu te faire de mal, mais tu ne me laisses vraiment pas le choix, Tamara.

Son corps ne répondait plus. Elle aperçut le morceau de coton blanc dans la main d'oncle Jack. S'adossant à la paillasse, elle sentit soudain ses jambes vaciller sous elle.

Dans sa chute, sa tête heurta violemment le rebord de l'évier. Adossée aux placards inférieurs, ses jambes gauchement étalées devant elle, Tamara dévisagea avec stupeur l'homme qui se penchait vers elle.

Une main puissante l'empoigna par l'épaule. Une autre appliqua le tampon de chloroforme sur son visage. Puis tout devint noir.

— Un bourbon soda avec de la glace.

Le propriétaire du bar leva brusquement la tête. Il considéra le pli menaçant qui barrait le front de Stone, l'agressivité qui tendait ses épaules.

— Que diriez-vous de sortir tranquillement de ce bar, McQueen ? Cela m'éviterait d'avoir à rembourser les frais médicaux de Cyrus, d'Eddie et de Joe ?

Stone vit trois têtes connues se dresser de la table de billard avoisinante, trois regards s'emplir de haine, et trois paires de mains se resserrer autour des queues de billard.

Attirant à lui le tabouret le plus proche, il y grimpa avec détermination.

— Laissez tomber le bourbon et les glaçons, dit-il.

Le barman fronça les sourcils.

— Vous voulez un simple verre de soda ?

McQueen lança un billet sur le comptoir.

— Oui, Virgil.

L'homme posa un verre devant lui, qu'il remplit d'un liquide effervescent et incolore.

— Stone McQueen, au régime sec, fit-il remarquer avec un sourire désagréable. Cela ne durera pas, mon pote.

Stone leva son verre et fixa les bulles qui y pétillaient. Le portant à sa bouche, il y prit une gorgée avant de le reposer sur le comptoir.

— Cela fait huit mois que j'ai arrêté, Virgil. Et j'ai bien l'intention que cela dure.

En se retournant, Stone aperçut l'homme qui, assis dans le box le plus proche, serré dans une veste de tweed, et un verre de bière devant lui, lisait. Levant les yeux par-dessus ses lunettes, ce dernier tendit vers lui une main chaleureuse.

— McQueen ? Comment allez-vous, vieux ?

— Pas trop mal, professeur, répliqua Stone avec un sourire spontané.

Il se leva pour aller saluer le « professeur », dont l'érudition lui avait valu ce surnom. Durant plusieurs années, il avait lui-même passé le plus clair de son temps dans ce genre de lieux. Dans le but de se soûler, et dans l'idée qu'un abruti qui lui chercherait des noises lui permettrait d'oublier — le temps d'une bagarre — le vide de son existence.

Un vide qu'il venait de retrouver, pour toujours à présent, se dit-il en écoutant d'une oreille distraite la conversation de son interlocuteur et en y glissant une réponse occasionnelle. Mais l'alcool, se dit-il, faisait définitivement partie du passé.

De toute façon, l'ivresse ne l'avait jamais aidé à estomper le souvenir de Tamara de sa mémoire. Il avait l'impression que dans dix ans, dans vingt ans même, la douleur serait aussi présente, aussi cuisante qu'aujourd'hui.

Il ne parvenait pas à oublier cette masse de cheveux roux et soyeux, ces lèvres pleines sous les siennes, ces yeux bleus qui le fixaient, souvent avec exaspération, parfois avec réprobation, parfois — il ferma les yeux — avec une passion assombrie par le désir.

C'était à *elle* que se résumait son univers. Mais ne la méritant pas, il l'avait perdue.

— Ce doit être quelqu'un !

Stone ouvrit les yeux pour découvrir le regard inquisiteur du professeur.

— Pardon ?

— Cette femme que vous avez perdue, précisa son compagnon. Vous avez la tête d'un homme à qui on vient d'interdire l'accès au paradis.

McQueen hocha la tête.

— C'est à peu près ça, convint-il. Mais même si je vis jusqu'à cent ans, je n'oublierai jamais que j'y ai été admis l'espace d'un moment. Cette femme est *tout* pour moi.

— Les gens disent qu'on s'en remet, murmura le professeur d'un air absent. Mais c'est faux. C'est une des rares choses que j'ai apprises, et il n'y aucun doute là-dessus… Les plus grands poètes sont formels ; Ronsard a pleuré Marie, Pétrarque sa Laure, et ainsi de suite. Remarquez que cela ne console pas, ajouta-t-il en portant son verre de bière à ses lèvres.

Il le reposa sur la table dans un bruit sec.

— Vous avez repris votre travail, Stone ?

Sa voix s'était faite plus vigoureuse, comme s'il cherchait à dissiper ses propres souvenirs, et Stone se força à répondre sur le même ton :

— Pas officiellement, mais je me penche à l'heure actuelle sur une vieille affaire. Peut-être pourriez-vous m'aider, d'ailleurs, professeur, ajouta-t-il en fronçant les sourcils. A votre avis, qu'est-ce qui pourrait contraindre un homme à en protéger un autre à tout prix, à son propre désavantage ?

En posant cette question, il repensait au récit confus de Katz. Son compagnon haussa les épaules.

— Beaucoup de religions disent que nous devons nous protéger les uns les autres. C'est un devoir, et souvent un devoir très contraignant. Les chinois, par exemple, croient que si vous sauvez la vie d'un homme, vous êtes responsable de lui à tout jamais. Bien sûr...

— Vous pouvez répéter ce que vous venez de dire ? coupa Stone.

Le professeur obtempéra, avant d'ajouter :

— Je ne suis pas certain que cette traduction soit exacte au terme près, mais c'est bien l'idée générale de ce précepte. Et on retrouve cette croyance dans l'Occident médiéval, un chevalier qui acceptait un don d'une jeune fille était éternellement son obligé, et...

La lumière se faisant brusquement dans l'esprit de Stone, il murmura d'une voix lente :

— Si ce Davidson, mentionné par Katz, s'était toujours senti obligé de protéger le pompier qui se disputait avec Pascoe, c'était peut-être parce qu'il lui avait sauvé la vie dans le passé. Or ce Jakey semblait lui aussi se refuser à détruire l'existence de quelqu'un. S'agissait-il, dans ce cas, de quelqu'un qu'il aurait lui-même sauvé un jour ?

— Pardonnez-moi, mais je ne comprends rien à ce que vous dites, marmonna le professeur. Si vous avez l'intention de parler de motos, j'ai peur de ne pas être à la hauteur.

— Quoi ?

Stone fronça les sourcils avec impatience.

— Je n'ai jamais parlé de motos...

Il s'interrompit, et son regard se posa sur le blouson des motards appuyés au bar.

— Harley ! s'exclama-t-il d'une voix rauque. Katz a confondu. Le mort dont parlait le pompier se nommait Harley, et non Davidson.

Harley m'a sauvé la vie au moment où un plancher s'effondrait sous mes pieds.

C'était ce que Jack Foley lui avait raconté l'autre matin…

Or, Jack lui avait également sauvé la vie, lors de l'incendie du Corona. L'ancien associé de Pascoe… C'était donc lui !

Tamara était en danger !

Se levant d'un bond, McQueen marcha jusqu'au téléphone accroché sur le mur. Jack avait dû apprendre qu'un mystérieux incendie s'était déclaré dans le quartier des tours Mitchell, et qu'un homme et une femme en avaient réchappé de justesse.

Jack Foley était loin d'être idiot, se dit Stone en écoutant la sonnerie à l'autre bout du fil. Il allait deviner qu'ils avaient retrouvé Pascoe, et que s'ils ne l'avaient pas encore contacté, c'était parce que celui-ci avait parlé.

Personne ne répondait. Stone laissa retomber le combiné et se dirigea vers la table où était toujours assis le professeur.

— J'ai besoin d'emprunter votre voiture, dit-il d'une voix tendue. Je n'ai pas le temps de vous expliquer pourquoi, mais c'est urgent. Et si vous savez prier, professeur…

Les mâchoires serrées, il ajouta, d'un ton désespéré :

— C'est le moment de prier pour moi.

18.

Stone et elle s'envolaient jusqu'au soleil. Il l'enlaçait de ses bras puissants, en avouant qu'il l'avait aimée dès le premier regard.

Pourquoi ne l'avait-elle pas compris plus tôt, se demanda Tamara dans un brouillard. Pourquoi n'avait-elle pas compris que ce n'était pas un vulgaire inconnu qui lui avait fait l'amour cette nuit-là, mais un homme si instantanément amoureux d'elle, qu'il avait voulu à tout prix lui faire oublier son chagrin. Un homme qui avait ensuite tout fait pour tenter de se racheter.

Stone.

Elle ouvrit les yeux et son regard rencontra l'obscurité. Elle voulut bouger, mais elle était pieds et poings liés.

— Attention, Tamara. Tu es prêt du bord et on est très haut.

Grâce à l'éclairage en provenance de la rue, elle distingua, penché sur elle, le visage familier de l'homme qui jusqu'à aujourd'hui, l'avait toujours entourée de ses soins aimants.

— Tu as un peu mal au cœur, ma puce ? Je vais t'enlever ton bâillon. Personne ne peut t'entendre, ici. A part l'aveugle, mais je l'ai vu s'éloigner tout à l'heure.

Ses souvenirs resurgissant tout à coup, et une fois libérée de la bande de tissu qui lui entravait la bouche, Tamara demanda d'une voix rauque :

— Pourquoi, Jack ?

— J'aurais donné ma vie pour toi, ma puce, dit-il, mais toi, tu étais prête à me trahir. C'est toi qui as rompu le pacte la première.

Les mains sur les hanches, il s'accroupit devant elle.

— Lorsque l'un des nôtres se retourne contre nous, il ne nous laisse pas le choix, vois-tu ? Claudia aussi pensait pouvoir surgir de nouveau dans ton existence, après l'avoir détruite. Une enfant que j'ai aimée comme ma propre fille.

Il se trouvait toujours des excuses… Les propos de Pascoe lui revenant soudain à l'esprit, Tamara ravala une nausée qui n'avait pas seulement pour cause le chloroforme dont elle sentait encore le goût dans sa bouche.

— Mon Dieu, tu as tué Claudia en croyant le faire pour mon bien, Jack ?

Elle savait que jamais plus elle ne pourrait ajouter à ce prénom le terme affectueux qu'elle lui avait toujours associé.

— Elle m'avait appelé pour savoir si je pensais que tu accepterais de la rencontrer, expliqua Foley.

Sa voix s'était durcie.

— Je lui ai rendu visite à son hôtel le soir même. Elle ne m'avait pas dit qu'elle avait une fille.

Un éclair d'émotion traversa ses traits.

— Je n'avais pas prévu cela, crois-moi. Dès que Claudia a refermé la porte derrière moi, je l'ai assommée. Ce n'est qu'après l'avoir déposée sur le lit et avoir mis une cigarette entre ses doigts, que j'ai aperçu le petit lit près de la porte de la salle de bains. Mais il était trop tard pour faire machine arrière.

— Tu as tué une femme de sang-froid, et tu étais prêt à laisser mourir une petite fille, s'insurgea Tamara, juste parce que tu ne pouvais pas faire *machine arrière ?*

Elle prit une inspiration tremblante.

— Mon père était ton meilleur ami. Qu'a-t-il découvert à ton sujet, pour que tu l'assassines, lui aussi — avec ma mère et mon frère ? Qu'est-ce qui a fait que tu n'as pas pu te raviser, cette fois-là ?

— Enfin, Tamara, je n'ai pas assassiné ta famille ! s'exclama Jack d'une voix emplie d'horreur. Comment peux-tu croire une chose pareille ?

Tamara le dévisagea avec perplexité. Jack, comprit-elle, fonctionnait en conservant dans deux compartiments distincts les facettes de sa personnalité éclatée. Il incarnait l'image du héros couvert de médailles, époux modèle, et père adoptif exemplaire d'une petite fille… orpheline par sa faute. Mais personne n'avait jamais soupçonné l'existence de l'autre visage de Jack Foley — celui d'un meurtrier implacable, et vindicatif.

Ce soir, la cloison qui séparait ces deux compartiments s'était effondrée. Jack n'allait sans doute pas réussir à fonctionner beaucoup plus longtemps. Mais peut-être assez de temps, se dit Tamara avec horreur, pour mettre son plan à exécution : c'est-à-dire la tuer.

— Même si ce n'est pas toi qui a frotté l'allumette, objecta-t-elle, tu l'as tendue à l'homme qui s'en est chargé. Je veux juste connaître la vérité avant de mourir. Mon entière existence a été basée sur un mensonge. Un mensonge qui m'a fait un mal que tu ne pourras jamais imaginer.

— Je n'ai jamais souhaité te faire de mal, ma puce. Mais une fois la machine enclenchée, il était trop tard.

Il soupira.

— J'avais un sérieux problème de jeu, devenu incontrôlable. Bracknell Curtiss, un millionnaire au passé douteux, m'a proposé un marché : il s'acquitterait de mes dettes, en échange d'informations concernant certaines propriétés qu'il voulait incendier afin de les acquérir à bas prix. J'étais désespéré. J'avais si peur de perdre Kate. J'ai alors accepté de devenir le contact de Curtiss au sein de la brigade, ce qui impliquait d'être également celui de

Robert Pascoe, l'incendiaire qui travaillait pour lui, ajouta Jack d'une voix étranglée.

A l'évocation de ce nom, Tamara intervint d'un ton posé :

— J'ai moi-même parlé à Pascoe ce soir. Avant qu'il ne brûle comme une torche, ajouta-t-elle avec dureté. Mais tu as dû deviner que nous avions retrouvé sa trace, dès que la nouvelle de l'incendie s'est propagée.

— En effet, acquiesça Foley.

— Pascoe ne nous avait même pas communiqué ton nom. Tu aurais pu t'en sortir sans que je le découvre jamais.

Tamara secoua la tête avec amertume.

— Mais qu'importe, à présent ? Mon père, lui, avait découvert ta relation avec Curtiss, c'est cela ?

— Chuck ignorait pour qui je travaillais exactement, mais il avait compris que j'avais une part de responsabilité dans l'incendie d'un immeuble dont il avait expertisé les décombres.

Jack passa une main sur son front avant de poursuivre :

— Il m'a annoncé qu'il allait devoir me signaler aux autorités, mais a accepté de repousser son rapport de quarante-huit heures, afin de me laisser le temps de préparer Kate à cette idée. C'était le week-end au cours duquel Mickey devait effectuer ce tournoi de hockey.

— Il t'a accordé un délai parce que tu étais son ami et toi, tu l'as assassiné, s'indigna Tamara d'une voix tremblante.

— Je t'ai dit que je n'étais pas responsable de sa mort. Je croyais que Curtiss voulait simplement lui faire peur. Je l'avais clairement prévenu que je n'irais pas au-delà.

Cela faisait si longtemps que Jack devait se répéter ce mensonge, qu'il avait dû finir par y croire, songea Tamara avec dégoût. Mais en informant Curtiss que leurs activités menaçaient d'être dévoilées, il *avait su* qu'il signait l'arrêt de mort de l'homme qui avait été son ami.

— Le lendemain, poursuivait Foley, j'ai cherché à contacter Pascoe, mais on m'a dit qu'il avait quitté Boston pour affaires. J'ai alors compris ce que j'avais fait. Je me suis précipité au motel dans le but de l'arrêter, mais je suis arrivé trop tard. Je… je t'ai vu t'échapper par cette lucarne, et j'ai alors juré de consacrer mon existence à remplacer le père que tu venais de perdre.

— Je t'ai vu, moi aussi.

A ces mots, le choc altéra le regard de Jack.

— Je ne me l'étais jamais rappelé avant aujourd'hui, expliqua Tamara, mais une partie de moi l'a toujours su. Tu te souviens m'avoir dit que quand je suis venue vivre avec vous, je ne cessais de tenter de m'enfuir ? J'ai ensuite grandi en sachant au plus profond de moi-même que je ne pouvais faire confiance à personne sur cette terre, Jack. C'est là le cadeau que tu m'as fait.

— Je t'ai protégée, protesta vivement Foley. Toi et Kate étiez tout ce que j'avais. J'ai toujours tout fait pour vous protéger et…

Dégoûtée, Tamara l'interrompit.

— Que s'est-il passé, après, Jack ?

— Après ce drame, j'ai compris que dès que j'aurais cessé de lui être utile, Curtiss m'éliminerait à mon tour.

— Alors tu as délesté Pascoe d'un de ses bidons de carburant et tu as incendié sa propriété. Mais tu n'étais toujours pas libre. Tu étais encore lié à Pascoe par le secret.

Elle éclata d'un rire bref.

— Vois-tu seulement la quantité de sang que tu as sur les mains ? Tu aurais pu l'empêcher de continuer. Tu aurais pu éviter la mort de ces cinq pompiers, Jack. Mais tu es resté là, sans rien faire. Tu n'as rien dit non plus, quand Stone a tenté de persuader le département de l'existence de Pascoe. Tu l'as regardé sombrer sans lever le petit doigt. Après l'enterrement de Donna Burke, comment as-tu fait pour vivre en paix avec toi-même, Jack ?

Tamara comprit qu'elle l'avait poussé trop loin. Elle vit l'expression de Jack Foley se fermer. Tout en se relevant, il répliqua avec froideur :

— J'étais sur le point de dénoncer Pascoe, et d'en assumer à mon tour les conséquences. Mais s'il t'en souvient, c'était le fameux jour de ton mariage, Tamara. Suite à l'attitude de Rick, j'ai voulu conclure un dernier marché avec Pascoe. Je l'ai fait pour toi.

Jack se détourna d'elle. Il y avait juste assez de lumière pour qu'elle le voie soulever quelque chose. Puis dévisser le bouchon d'un bidon métallique.

Elle allait être la sixième victime à mourir sur ce site, se dit Tamara, abasourdie. Elle l'avait su dès qu'elle avait repris conscience dans cette tour en construction. Mais en observant son meurtrier se préparer à lui ôter la vie, elle prenait soudain pleinement conscience de ce qui était en train d'arriver.

Sauf qu'elle ne *pouvait pas* mourir.

Elle ne lui avait pas dit qu'elle l'aimait.

Stone avait vu juste — un nœud compact, fait de trahison et dissimulé au cœur de son existence, l'avait empêchée de lui ouvrir totalement son cœur. Mais, le fait d'avoir appris la vérité, aussi terrible soit-elle, la libérait enfin.

Il était l'homme de sa vie. Le seul homme qu'elle aimerait. Et elle devait *vivre,* pour le lui dire.

Adossée comme elle l'était à ce pilier, pensa-t-elle soudain, elle pourrait, en bougeant imperceptiblement, amener ses liens jusqu'à l'arête tranchante du métal. Avec prudence, et tandis que Foley poursuivait son effrayant récit, elle commença à scier lentement la corde qui ceignait ses poignets.

— En tuant ces cinq pompiers, Pascoe avait dépassé les bornes, affirmait ce dernier.

Il tourna vers elle un visage étrangement résolu.

— Alors je lui ai proposé ce marché : s'il ne voulait pas que je le dénonce, il quittait définitivement Boston, après avoir fait un dernier travail pour moi, en échange de quoi je continuais à me taire.

Tout en parlant, Jack pencha précautionneusement le bidon jusqu'à ce qu'un mince filet de liquide s'écoule au sol. Tamara sentit aussitôt une forte odeur d'essence assaillir ses narines.

— Seulement quelques mois à peine après t'avoir abandonnée, Rick trompait déjà Claudia, révéla-t-il. Tu vois, en fin de compte, il valait mieux pour toi ne pas conserver ce type dans ta vie, ma puce.

Jack ne semblait nullement conscient du caractère grotesque qu'avait dans sa bouche cette vieille expression d'affection, alors même qu'il se préparait à la tuer.

— Pensant que la femme qu'il avait vue dans la voiture avec Rick était son épouse, Pascoe m'avait assuré avoir rempli son contrat à part entière.

Etonnamment, et après ce qu'elle avait déjà entendu ce soir — après tout ce qu'il lui avait déjà dit — cette révélation lui sembla la plus hideuse de toutes. C'était du crime commandé, songea Tamara avec horreur. Avec, dans l'esprit malsain de Jack Foley, l'idée de la venger.

Une fureur aveugle bouillonnant en elle, Tamara s'écria :

— Tu es complètement malade ! Peut-être as-tu été jadis un être humain, mais du jour où tu as conclu ton premier pacte avec Curtiss et Pascoe, tu es devenu un monstre. Je suis heureuse que tante Kate soit morte avant d'avoir découvert qui tu étais vraiment — parce que tout le monde va le savoir, à présent. Knopf te suspecte déjà. Et si Stone n'a pas encore compris, il ne va pas tarder à le faire.

— Knopf est cinglé, rétorqua Jack d'une voix tranchante, et McQueen a inventé un personnage de toutes pièces. Il a voulu déclencher un deuxième incendie sur le site des tours Mitchell, dans le but de ressusciter le fantôme de Robert Pascoe. C'est ce que tout le monde dira. Qui croira en la parole de McQueen, contre celle du héros qui lui a sauvé la vie ?

— Personne, Foley. Mais j'ai Tamara comme témoin, et je vais t'arrêter.

A l'autre extrémité de la structure, une large et haute silhouette avait surgi de la pénombre. Tamara sentit son cœur bondir dans sa poitrine en voyant Stone s'approcher lentement d'eux.

— Tu ne peux pas faire ça, Jack. Tu l'aimes trop. Même toi, tu ne pourras jamais vivre avec cette culpabilité. Ça va, Tamara ? ajouta Stone en un bref aparté à son adresse.

Elle répondit d'une voix tremblante :

— Il a déjà versé le carburant, Stone. Je... je suis attachée. Je ne peux pas bouger.

— Vous voyez, j'ai la situation en mains, McQueen. Alors n'approchez pas.

Tout en prononçant ces mots, Foley jeta le bidon vide au sol et sortit vivement un briquet de sa poche, qu'il alluma.

Stone se figea sur place.

— Non. Réfléchissez, Jack. Depuis le temps que vous chérissez Tam, que vous l'entourez de vos soins, que vous la protégez, vous ne pouvez pas faire ça, et vous le savez.

— C'est vrai que j'ai passé mon existence à protéger ma Tammy, McQueen.

La flamme vacillante du briquet révélait l'expression déterminée du vieil homme.

— Mais elle a fini par se détourner de moi. Pour se tourner vers vous. En faisant son choix, elle m'impose celui-ci.

— Je me doutais que vous utiliseriez ce prétexte, affirma Stone avec dureté. Quand j'ai compris que vous aviez kidnappé Tamara, j'ai aussitôt deviné que vous l'amèneriez ici, ajouta-t-il. J'ai moi aussi vécu toutes ces années avec le souvenir de la tragédie qui s'est déroulée dans ces tours, et j'y suis moi-même revenu souvent. Mais ma culpabilité n'est rien, comparée à celle qui doit vous ronger, Foley. Vous aussi, vous avez assisté à leurs funérailles, n'est-ce pas ?

La colère échauffa sa voix rauque.

— Dressons la triste liste de leurs noms. Vous rappelez-vous leurs noms ? Les voyez-vous, alignés, dans vos cauchemars ? Terry Cutshaw. Max Aiken. Larry…

— Cela suffit. Je me souviens de leurs noms, McQueen !

Pour la première fois depuis qu'il l'avait amenée ici, Tamara vit un spasme de douleur déformer les traits de Jack. Sa main trembla et l'intensité vacillante de la flamme au bout de son poing s'abaissa. Terrifiée, elle ferma les yeux un instant.

— Bon sang, gronda Foley, je travaillais avec Max. Je connaissais le père de Terry. Croyez-vous que j'aie eu plaisir à les voir mourir ?

D'une voix grave, Stone insista :

— Larry Steinbeck…

Il fit un pas de plus en direction de Jack.

— Vous avez été une des rares personnes à être autorisée à voir Monty Stewart peu avant sa mort, hein, Jack ? Avez-vous compris qui vous étiez devenu, à ce moment-là ?

— Restez où vous êtes, McQueen, menaça Foley d'une voix mal assurée. J'ai utilisé tout ce qui me restait du combustible pour fusées dans l'incendie de cet hôtel meublé, mais j'ai assez d'essence ici pour nous envoyer tous les trois en enfer.

— Dieu du ciel ! s'exclama Tamara.

A cet instant, elle sentit ses liens céder.

— En fait, c'est ça que tu veux ! s'écria-t-elle, les poignets encore trop ankylosés pour pouvoir les bouger. Tu n'as pas l'intention d'en sortir vivant, mais de faire croire à tout le monde que tu es mort en héros.

— Donna Burke.

Les mâchoires serrées, McQueen venait d'achever l'énoncé de sa liste.

— C'était eux les héros, Foley. Parce qu'ils se battaient contre le monstre, alors que toi, tu as pactisé avec lui.

— Mais personne ne le saura jamais.

La voix de Jack n'était plus qu'un filet agonisant.

— J'ai été contraint de vivre avec l'homme que je suis devenu, mais je serai enterré en combattant du feu.

En prononçant ces mots, Foley jeta le briquet en direction de la flaque d'essence qui s'étalait sur le sol en planches à un mètre de lui. Tamara vit avec terreur la flamme voler en direction du liquide sombre.

Dans un souffle impressionnant, la petite flaque se transforma en un foyer dont les contours bleutés s'étendaient à une vitesse effrayante. Un mur de flammes surgit entre elle et les deux hommes, au travers duquel Tamara vit le regard de Stone chercher anxieusement le sien. Puis il s'avança avec détermination vers la barrière ardente.

— Non ! hurla Jack en se jetant sur lui. C'est ainsi que tout doit finir !

Pris par surprise, Stone vacilla sur ses jambes. Comme il se tournait pour affronter son adversaire, un formidable coup du droit envoya valser sa tête en arrière.

— Bon sang, Foley !

Il recouvrit son équilibre, foudroya Jack du regard, et menaça, évitant le poing qui, déjà revenait, sur lui :

— Otez-vous de là.

Puis il se retourna vers le début d'incendie — qui avait doublé d'intensité, remarqua Tamara tandis qu'elle bataillait pour défaire les cordes qui entravaient ses chevilles. En l'espace de quelques secondes, le feu avait couvert près du quart de la surface en construction.

Les yeux agrandis par la terreur, elle le vit gagner rapidement du terrain en direction de l'escalier extérieur par lequel était arrivé Stone. D'ici quelques minutes, leur seule issue serait condamnée.

Son attention revint sur Jack, qui se lançait de nouveau à l'assaut de Stone. Mais cette fois, celui-ci l'attendait de pied ferme.

Il assena un coup de poing sur la mâchoire de son adversaire, qui déséquilibra complètement celui-ci. Tamara vit alors la silhouette massive de Jack s'écraser au sol et y rester.

Sans une seconde d'hésitation, Stone traversa ensuite le mur de flammes pour la rejoindre.

— Mes poignets sont en sang, dit-elle d'une voix mal assurée, tandis qu'il s'agenouillait auprès d'elle. Mes doigts glissent et je n'arrive pas à défaire mes liens.

— Mon amour !

Au lieu de défaire les nœuds qui entravaient ses chevilles, les mains de Stone emprisonnèrent son visage. Il tremblait, comprit-elle tandis que ses cils épais s'abaissaient pour dissimuler son regard.

— J'avais si peur de ne pas arriver à temps.

Il prit une inspiration haletante et l'attira un instant à lui. Tamara sentit sa bouche se poser sur la sienne, puis libérant son étreinte, Stone sortit un canif de la poche de son treillis.

— Ne bouge pas.

D'un seul coup de lame, il trancha ses cordes, puis la hissa jusqu'à lui. Comme elle vacillait sur ses jambes, il dit dans un souffle :

— Je vais te porter.

Tamara secoua vivement la tête.

— Je peux marcher Stone. Vite… les escaliers.

— Je sais.

Avant qu'elle ne comprenne ce qu'il faisait, il avait ôté son sweat-shirt qu'il enfila de force par-dessus son épaisse chevelure.

— Garde tes bras et ton visage aussi protégés que possible, ordonna-t-il.

Elle ouvrit la bouche mais il anticipa ses protestations :

— Ne discute pas.

Il enroula un bras autour de sa taille, et la serra si fort contre lui qu'elle se sentit soulevée du sol dès qu'ils commencèrent à courir. Tandis qu'ils franchissaient d'un bond le mur de flammes, une chaleur insoutenable les frappa de plein fouet.

— Cours vers l'escalier, ordonna Stone, une fois en sécurité.

Dans la lumière rougeoyante, elle vit ses traits s'empreindre de gravité.

— Je ne peux pas le laisser mourir là, dit-il.

— Je vais t'aider à le porter, Stone.

Elle fit un pas en direction de la silhouette recroquevillée à leurs pieds.

— Je m'en sortirai mieux seul, assura Stone.

Les lèvres serrées, Tamara acquiesça d'un hochement de tête.

— Dépêche-toi, alors.

Ils allaient s'en sortir, se dit-elle en se ruant en direction des marches. Même s'ils ne parvenaient pas à porter Jack jusqu'en bas de l'immeuble, l'équipe d'intervention ne tarderait pas à arriver. Elle posa un pied sur la première marche et jeta un regard par-dessus son épaule.

La tête courbée en avant, le dos tourné à Jack, McQueen arrachait en hâte sa ceinture de cuir aux lanières de son pantalon — afin, imagina Tamara, de s'en servir pour le porter.

Sauf que Jack avait repris conscience.

— Stone ! Derrière toi ! hurla Tamara.

Tout sembla se décider en un quart de seconde.

A l'instant où il se retournait, et avec une force qui lui souleva le cœur, elle vit Jack percuter le crâne de Stone à l'aide d'un linteau qu'il venait d'empoigner. Vacillant sur ses jambes, Stone s'effondra lourdement au sol.

Entraînée par l'élan, l'arme que brandissait Jack stoppa sa course contre la base d'un pilier qui, réduite à l'état de braises, céda sous l'impact. Le pilier bascula et vint s'écraser sur la colonne vertébrale de Jack.

S'écroulant à son tour, le corps de Jack Foley atterrit en travers des jambes de Stone. Derrière le rugissement du feu, Tamara perçut le bruit mat que fit son crâne en heurtant le sol.

Avant même de courir jusqu'à lui, elle devina qu'il était mort.

A cette pensée, elle ne ressentit rien d'autre que du soulagement. Ce soir, elle avait vu pour la deuxième fois de sa vie le véritable visage de Jack Foley. Un homme dont elle ne pouvait pleurer la disparition.

Mais elle n'allait pas non plus pleurer celle de Stone, décida-t-elle avec rage. Parce qu'elle n'allait pas le laisser mourir. Elle le vit bouger légèrement, ouvrir les yeux, et son regard voilé rencontra le sien.

— Tes jambes sont bloquées sous une poutre, Stone, expliqua-t-elle aussitôt. Mais je doute qu'elles soient cassées, parce qu'elles ont été protégées par le corps de Jack. Il… il est mort.

— J'entends les sirènes, annonça Stone avec une grimace.

— On n'a pas le temps d'attendre les secours, affirma Tamara. Le plancher est instable et l'accès à l'escalier va bientôt être coupé. Le seul sauveteur à ta disposition, c'est moi, Stone, et je vais te délester de cette poutre.

— Non, protesta McQueen.

Levant la tête avec difficulté, d'une voix douce, il ajouta :

— J'ai à peu près tout gâché dans ma vie. A part de t'avoir aimé. Je veux que tu partes.

— Moi aussi, j'ai gâché pas mal de choses, dit-elle.

Sa vision se brouilla.

Il l'aimait.

Et elle aussi l'aimait — elle l'aimait tant ! Si quoi que ce soit lui arrivait, elle n'y survivrait pas.

— J'aurais dû te le dire plus tôt. Je t'aime, Stone. Et nous quitterons cette Bon Dieu de tour ensemble.

Sur ces mots, se penchant vers lui, elle posa brièvement ses doigts sur ses lèvres. Il y déposa un baiser.

— Pour plus tard, murmura-t-il en braquant dans le sien un regard dans lequel elle lut un amour infini.

— Au cas où…

Au cas où tout tournerait mal, se dit Tamara avec frayeur. Au cas où, une fois de plus, le monstre gagnerait et anéantirait son univers.

Elle redressa les épaules. Il était là, à quelques mètres d'elle. Rouge et menaçant, il la jaugeait, comme s'il avait toujours attendu ce moment, comme s'il savait qu'elle aussi, s'y était toujours préparée.

Elle le regarda dans les yeux. Et ne vit rien.

— Ce n'est qu'un feu, décida-t-elle d'une voix rauque. Je suis pompier, et je hais le feu !

Se dressant sur ses pieds, Tamara mit une jambe de chaque côté de la poutre, et se tint face à une de ses extrémités. Elle plia les genoux, réunit ses forces, puis l'agrippa à deux mains. Après avoir pris une profonde inspiration, dans un grognement, elle s'arc-bouta pour soulever la lourde pièce de bois.

Ce truc devait peser des centaines de kilos, se dit-elle avec l'impression que ses muscles allaient éclater. Ses cuisses se mirent à trembler sous l'effort, et ses genoux menaçaient de céder. Les paupières pressées l'une contre l'autre, la sueur affleurant à son front, Tamara sentit le désespoir l'envahir.

Elle n'avait pas assez de force, se dit-elle en rouvrant les yeux. Elle n'y arriverait jamais.

A cet instant, elle croisa sous ses cils le regard de Stone. Il lui sourit avec une incroyable douceur.

Faisant appel à une réserve d'énergie inespérée, dans un ultime et douloureux effort, Tamara sentit alors la poutre se soulever de quelques centimètres.

— Je ne pourrai pas… la soutenir bien longtemps, haleta-t-elle. Tu vas arriver à te dégager, Stone ?

Mais déjà, il bataillait pour se libérer du fardeau que représentait le corps de Foley. A l'instant où Tamara sentit ses muscles l'abandonner, il se redressa en titubant.

— Tu peux lâcher, Tam.

Sentant le poids de la poutre reporter sur les bras de Stone, elle fit un pas vacillant en arrière. Après avoir reposé la pièce de bois à côté du cadavre de Foley, il empoigna Tamara par le bras et l'entraîna au pas de course en direction des marches.

A deux secondes près, ils ne s'en seraient pas sortis, se dit Tamara tandis qu'ils dévalaient quatre à quatre l'escalier provisoire. Le feu avait entièrement gagné le quatrième étage et s'attaquait déjà au troisième niveau. Elle entendit des voix en provenance du sol et distingua entre ses paupières irritées le gyrophare d'un camion de pompiers.

Soudain, McQueen s'immobilisa et elle vit un coin de sa bouche se relever en un sourire.

— Epouse-moi, Tam.

Il avait braqué son regard dans le sien.

— Tu vois ? La robe blanche, l'église… tout le tralala. Je t'aime tant, ajouta-t-il avec douceur.

C'était bien de Stone, de faire sa demande en mariage sous l'œil goguenard d'une entière brigade de pompier, songea fugitivement Tamara tandis qu'il l'attirait à lui dans l'attente de sa réponse. Peu soucieuse des visages levés vers eux et des sourires sous les casques, elle se dressa sur la pointe des pieds et quand elle approcha sa bouche de celle de Stone, un concert de sifflements joyeux monta du petit attroupement.

Tamara posa sur les lèvres de Stone un baiser empreint de toute la tendresse qu'elle voulait lui témoigner en cet instant. Puis, s'écartant de lui, elle plongea son regard dans les yeux gris qui la dévisageaient.

— Tu es vraiment un provocateur, McQueen, murmura-t-elle, les yeux embués de larmes. Je voulais te le dire avant : je t'aime. Bien sûr que je veux t'épouser, et en grande pompe.

Épilogue

Stone avait plaqué sa fiancée contre un mur de l'office qui jouxtait les cuisines. Les yeux fermés, les deux mains caressant ses seins, il l'embrassait à pleine bouche.

C'était tout ce qu'il pourrait s'autoriser avant un moment, se dit-il avec frustration en arrachant ses lèvres à celles de Tamara, une chaleur presque douloureuse envahissant la part la plus masculine de son être. Car au bout du couloir les attendaient plus de deux cents pompiers, accompagnés de leurs épouses, ainsi qu'une jeune demoiselle d'honneur de sept ans, qui avait insisté pour être accompagnée de son berger Danois. Mais Chandra, qui avait aidé depuis six semaines aux préparatifs du mariage, devait s'occuper de Petra, se rassura Stone. Ce qui leur laissait quelques minutes de liberté.

Distinguant une pointe de satin rouge sous la dentelle blanche, il sentit un désir immédiat l'embraser.

— Pour qui portes-tu ça, mon ange ? demanda-t-il en écartant légèrement la dentelle blanche, avant de faire courir un doigt hésitant sur le bord supérieur d'un soutien-gorge à balconnet rouge.

— Pour l'homme qui me l'a offert, murmura Tamara. Je porte également un slip et un porte-jarretelles assortis. Est-ce suffisamment excitant pour toi, McQueen ?

Stone acquiesça en marmonnant avant de céder à l'envie d'abaisser sa bouche sur ces seins sculpturaux. Il caressa de sa langue le creux qui les séparait.

— J'ai repris mes fonctions d'expert, ma belle. Et en cas d'incendie, j'ai pour devoir d'intervenir.

— Mais tu n'es pas censé attiser le feu, murmura Tamara en enfouissant ses doigts dans les cheveux de Stone.

S'il continuait, son épouse finirait par avoir aussi mauvaise réputation que lui, se dit-il quelques instants plus tard, en s'efforçant de reprendre le contrôle de lui-même. Il attendrait donc sagement leur lune de miel, c'est-à-dire... Une heure ou deux.

Une lune de miel qu'ils avaient prévu de passer dans la chambre de Tamara, tandis que Petra accompagnerait Chandra, Hank, et leur petit garçon pour un long week-end de camping.

— Je n'ai encore jamais fait l'amour à une femme mariée, dit-il d'un ton pensif en la regardant rajuster la dentelle de sa robe.

Enroulant un bras autour du sien, Tamara leva vers lui un visage radieux avant d'assurer :

— Encore moins, je suppose, avec une femme mariée *et enceinte*. Rejoindrons-nous nos invités, à présent ?

— Oui, mon amour, acquiesça Stone, obéissant.

Arrivés devant la porte de l'office, il se figea soudain.

— Attends. Tu peux répéter ce que tu viens de dire ?

Il la dévisageait d'un air stupide.

— Je disais simplement qu'après les vacances que j'ai prises afin de m'occuper de l'installation de Petra, j'enchaînerai aussitôt par un congé maternité.

Sa voix était soudain mal assurée, mais ses yeux irradiaient de bonheur.

— C'est bien ainsi que tu avais planifié les choses, non ? demanda Tamara avant d'éclater de rire.

— Nous allons avoir un bébé ? Je vais être papa ?

Comme elle acquiesçait d'un signe imperceptible de la tête, Stone sentit une immense vague de joie l'envahir.

Il allait être père, se dit-il avec incrédulité. La femme qu'il aimait portait déjà son enfant — leur enfant, rectifia-t-il en resserrant l'étreinte de son bras autour d'elle. Il sentait l'humidité des larmes sous ses cils.

Jadis, il avait touché le fond. Remonter à la surface avait représenté un long et pénible périple.

Mais en chemin, il avait trouvé la femme de sa vie, se dit Stone en inclinant doucement la tête pour déposer un baiser sur les lèvres de celle qui serait désormais sa femme.

Le nouveau visage de la collection Or

AMOURS D'AUJOURD'HUI

Afin de mieux exprimer sa modernité et de vous séduire encore davantage, votre collection Or a changé de couverture et de nom depuis le 1er mars 1995.

Rassurez-vous, les romans, eux, ne changent pas, et vous pourrez retrouver dans la collection **Amours d'Aujourd'hui** tous vos auteurs préférés.

Comme chaque mois, en effet, vous y attendent des héros d'aujourd'hui, aux prises avec des passions fortes et des situations difficiles...

COLLECTION
AMOURS D'AUJOURD'HUI :
Quand l'amour guérit des blessures de la vie...

Chère lectrice,

Vous nous êtes fidèle depuis longtemps?
Vous venez de faire notre connaissance?

C'est pour votre plaisir que nous avons imaginé un rendez-vous chaque mois avec vos auteurs préférés, vos AUTEURS VEDETTE *dans les collections Azur et Horizon.*

Les AUTEURS VEDETTE *vous donneront rendez-vous pour de nouveaux livres vedette.*

Pour les reconnaître, cherchez l'étoile... Elle vous guidera!

Éditions Harlequin

AUT-R-R

HARLEQUIN

LE FORUM DES LECTEURS ET LECTRICES

CHERS(ES) LECTEURS ET LECTRICES,

VOUS NOUS ETES FIDÈLES DEPUIS LONGTEMPS?

VOUS VENEZ DE FAIRE NOTRE CONNAISSANCE?

SI VOUS AVEZ DES COMMENTAIRES, DES CRITIQUES À FORMULER, DES SUGGESTIONS À OFFRIR, N'HÉSITEZ PAS... ÉCRIVEZ-NOUS À:

LES ENTERPRISES HARLEQUIN LTÉE.
498 RUE ODILE
FABREVILLE, LAVAL, QUÉBEC.
H7R 5X1

C'EST AVEC VOS PRÉCIEUX COMMENTAIRES QUE NOUS ALLONS POUVOIR MIEUX VOUS SERVIR.

DE PLUS, SI VOUS DÉSIREZ RECEVOIR UNE OU PLUSIEURS DE VOS SÉRIES HARLEQUIN PRÉFÉRÉE(S) À VOTRE DOMICILE, NE TARDEZ PAS À CONTACTER LE SERVICE D'ABONNEMENT; EN APPELANT AU (514) 875-4444 (RÉGION DE MONTRÉAL) OU 1-800-667-4444 (EXTÉRIEUR DE MONTRÉAL) OU TÉLÉCOPIEUR (514) 523-4444 OU COURRIER ELECTRONIQUE: AQCOURRIER@ABONNEMENT.QC.CA OU EN ÉCRIVANT À:

ABONNEMENT QUÉBEC
525 RUE LOUIS-PASTEUR
BOUCHERVILLE, QUÉBEC
J4B 8E7

MERCI, À L'AVANCE, DE VOTRE COOPÉRATION.

BONNE LECTURE.

HARLEQUIN.

VOTRE PASSEPORT POUR LE MONDE DE L'AMOUR.

La COLLECTION AZUR

Offre une lecture rapide et

- *stimulante*
- *poignante*
- *exotique*
- *contemporaine*
- *romantique*
- *passionnée*
- *sensationnelle!*

COLLECTION AZUR...des histoires d'amour traditionnelles qui vous mènent au bout monde!
Cinq nouveaux titres chaque mois.

GEN-RP-R

COLLECTION HORIZON

Des histoires d'amour romantiques qui vous mènent au bout du monde!

Découvrez la passion et les vives émotions qu'apportent à la Collection Horizon des auteurs de renommée internationale!

Captivantes, voire irrésistibles, ces histoires d'amour vous iront assurément droit au coeur.

Surveillez nos trois nouveaux titres chaque mois!

GEN-H-R

ROUGE PASSION

De fiévreuses histoires d'amour sensuelles!

De provocantes histoires d'amour passionnées et romantiques qu'on lit d'une seule traite. Aventureuses, parfois humoristiques, et sensuelles, elles mettent en vedette des hommes et des femmes d'aujourd'hui.

ROUGE PASSION... trois nouveaux titres chaque mois.

GEN-RP-R

HARLEQUIN

COLLECTION ROUGE PASSION

- Des héroines émancipées.
- Des héros qui savent aimer.
- Des situations modernes et réalistes.
- Des histoires d'amour sensuelles et provocantes.

LAISSEZ-VOUS TENTER par 3 titres irrésistibles chaque mois.

RP-1-R

♉ ♊ ♋ ♌ ♍

♋ L'ASTROLOGIE EN DIRECT ♍
TOUT AU LONG
DE L'ANNÉE.

(France métropolitaine uniquement)

Par téléphone 08.92.68.41.01

0,34 € la minute (Serveur SCESI).

Composé et édité par les
éditions Harlequin
Achevé d'imprimer en janvier 2005

BUSSIÈRE
GROUPE CPI

à Saint-Amand-Montrond (Cher)
Dépôt légal : février 2005
N° d'imprimeur : 45759 — N° d'éditeur : 11110

Imprimé en France